El mar en llamas

Novela Histórica

Alberto Vázquez-Figueroa

El mar en llamas

mr · ediciones

© Desaladoras AVF, S. L., 2011
© Ediciones Planeta Madrid, S. A., 2011
   Ediciones Martínez Roca es un sello editorial de Ediciones Planeta Madrid, S. A.
   Paseo de Recoletos, 4. 28001 Madrid (España)
   www.mrediciones.com
   www.planetadelibros.com

Diseño de la cubierta: Silvia Vázquez-Figueroa
Fotografía del autor: © Silvia Vázquez-Figueroa
Primera edición en Colección Booket: febrero de 2012

Depósito legal: B. 441-2012
ISBN: 978-84-270-2006-1
Composición: Víctor Igual, S. L.
Impreso y encuadernado en Barcelona por: blackprint
Printed in Spain - Impreso en España   A CPI COMPANY

Biografía

Alberto Vázquez-Figueroa nació en 1936, el año en que empezó la guerra civil española. El principio de su vida está marcado por esa circunstancia histórica, pues su padre, sus tíos y su abuelo fueron encarcelados o deportados. A esta tragedia se une otra personal: en 1949 fallece su madre, y él, con trece años, es enviado con sus tíos al Sahara, donde pasará el resto de su infancia y adolescencia. La vida en el desierto, sus habitantes y su dureza le marcan en todos los sentidos. En 1954 vuelve a Santa Cruz de Tenerife, donde completa el bachillerato, y decide estudiar Periodismo en Madrid. Paralelamente a sus estudios, logra una plaza como profesor de submarinismo en el buque escuela *Cruz del Sur*, lo que le ocupará durante dos temporadas: 1957-1958. En enero de 1958 dirige el equipo de buceadores que rescata los cadáveres del fondo del lago de Sanabria, adonde han sido arrastrados por la rotura de una presa. Al acabar la carrera viaja a África central, de donde vuelve con grandes reportajes que publica en el prestigioso semanario *Destino*. Tras varios años como corresponsal viajero de la citada revista, empieza a trabajar como enviado especial para *La Vanguardia* y para Televisión Española, cubriendo los conflictos bélicos más importantes de la época. Poco a poco consigue compaginar sus grandes pasiones y hacer de ellas su modo de vida: la literatura, la aventura, los viajes… Al principio publica libros sobre los lugares lejanos y en cierto modo exóticos que conoce como periodista (*África encadenada*, *La ruta de Orellana*, *Galápagos*…), pero después comenzará a publicar también novelas (*Manaos*, *Tierra virgen*, *Quién mató al embajador*…). El éxito le llega con *Ébano* y, sobre todo, con *Tuareg*. Muchas de sus novelas son adaptadas al cine, industria con la que empieza una larga relación, ya que ha sido director, guionista y productor. Entre sus obras más destacadas también pueden citarse *Sicario*, *El perro*, *El señor de las tinieblas*, *Coltán* y las sagas *Océano* y *Cienfuegos*. En 2010 se alzó con el prestigioso Premio de Novela Histórica Alfonso X el Sabio con su novela *Garoé*.

1

—¿Podría dedicarme unos minutos...?

Alzó el rostro y la observó; continuaba siendo atractiva pese a la profundidad de sus oscuras ojeras y el gesto de cansancio, tristeza o amargura que parecía emanar de cada poro de su cuerpo.

—Usted dirá.

—Le agradecería que les echara un vistazo.

Había depositado tres fotografías sobre el mármol de la mesa y las fue señalando mientras colocaba el dedo índice sobre cada una de ellas.

—La primera fue tomada antes de que empezara todo —dijo—. La segunda en el momento de iniciarse el incendio y la última cuando ya había sobrevenido la catástrofe.

—¿Se trata de la plataforma del Golfo...?

—¿No cree que resulta evidente?

Lo resultaba, en efecto; imágenes semejantes, aunque no tan cercanas y concretas, habían aparecido en los medios de comunicación durante casi tres semanas.

—¿Y quién tomó esas fotos?

—El mismo que provocó la explosión; me las envió al móvil, pero algo se le debió de ir de las manos, porque todo acabó en un auténtico desastre y no he sabido nada más de él.

Quien había sido tan desconsideradamente abordado por una inoportuna desconocida le indicó con un casi imperceptible ademán que tomara asiento, estudió las fotografías, alzó la mirada con el fin de intentar descubrir si la dueña de tan enormes ojos negros y tan profundas ojeras mentía y acabó por lanzar un resoplido con el que parecía querer demostrar la intensidad de su desconcierto.

—¡Qué barbaridad! —masculló—. No puede ser verdad.

—Pues lo es —recalcó la mujer.

—Hasta ahora, y que yo sepa, nadie ha mencionado la posibilidad de que se tratara de un atentado terrorista.

—Es que no lo fue... —replicó segura de sí misma quien a pesar de que apenas sobrepasaba los cuarenta se había dejado caer en el asiento con el gesto de insuperable fatiga propio de una anciana—. Simulacro sí, pero no un atentado, y esas fotos lo demuestran.

—¿Y por qué no se las entrega a la policía? —quiso saber quien se encontraba disfrutando en solitario de su tercer café muy cargado y un segundo habano en la terraza de su taberna predilecta mientras contemplaba cómo las palmeras se recortaban contra el sol que comenzaba a ocultarse en el mar.

—¿A qué policía y de qué país? —quiso saber ella.

—¿Y yo qué sé? Supongo que a la norteamericana, ya que la plataforma se incendió en sus costas. —Hizo una corta pausa antes de inquirir no demasiado convencido—: ¿O esa plataforma era inglesa?

—La compañía es inglesa, pero míreme bien... —fue la intencionada respuesta de la intrusa—. La policía no tardaría ni diez minutos en llegar a la conclusión de que soy musulmana. —Su voz sonó casi agresiva al añadir—: ¿Cree que alguien aceptaría que quien cometió tan brutal atentado era un rubio de ojos azules cuya única vinculación con Al Qaeda o el extremismo islamista se limitaba al hecho de acostarse con una iraní?

—Difícil pregunta a la que, usted perdone, tan sólo puedo responder con otra: ¿por qué diablos viene a contárselo a un desconocido que nada tiene que ver con todo ese lío de plataformas incendiadas y derrames de petróleo?

—Porque se llama Asdrúbal Valladares.

—¿Y eso qué tiene que ver?

—Que Asdrúbal Valladares fue un autor de grandes éxitos que por lo visto perdió la capacidad de encontrar argumentos que interesaran a los lectores y ha pasado al olvido. —La amarga sonrisa de la desconocida resultaba tan atractiva como el resto de su persona—. Supongo que en su época dorada mucha gente le pediría que escribiera su historia, pero en este caso no se trata de «mi historia», sino de la de unos acontecimientos que afectan a millones de personas.

El propietario del enorme cigarro, que hasta minutos antes se limitaba a disfrutar de un paradisiaco paisaje que llevaba años contemplando, se vio obligado a admitir que gran parte de lo que la desconsiderada intrusa acababa de decir era cierto.

Había sido, en efecto, un autor cuyos títulos adornaban los escaparates y llenaban las estanterías de los grandes centros comerciales de medio mundo, pero hacía años que no acertaba con los gustos de las nuevas generaciones, por lo que tras incontables fracasos y absurdas peripecias había acabado en un remoto villorrio de pescadores a los que por lo menos no se había visto obligado a dar explicaciones acerca de las razones de su incapacidad a la hora de volver a escribir.

Su editora estaba convencida de que aún disfrutaba de un indudable talento a la hora de narrar una historia, pero él había llegado íntimamente a la conclusión de que lo que en verdad importaba era la historia que se contaba, no la forma de contarla.

A menudo se comparaba a sí mismo con un eficiente escultor, perfecto conocedor de las mejores técnicas del oficio pero que no dispusiera de un hermoso y compacto bloque de mármol sobre el que trabajar.

Las buenas palabras que no se sustentaban sobre buenas ideas se convertían en simples «letras arrejuntadas», castillos de naipes o torres de marfil carentes de cimientos que acababan desmoronándose, y Asdrúbal Valladares tenía muy claro que cada vez que intentaba crear un nuevo personaje o una nueva situación dramática le venían a la memoria un personaje parecido o una situación similar que ya habían hecho su aparición en alguna de sus anteriores novelas.

Era ese miedo a repetirse, a plagiarse a sí mismo, lo que le aterrorizaba y le mantenía inactivo, puesto que desde que aprendió a leer aprendió también a aborrecer a los «escritores de una sola nota» que acababan volviéndose tan predecibles que se podía adivinar sin esfuerzo lo que sucedería en el capítulo siguiente.

Si la naturaleza había decidido proporcionarle el inapreciable don de comunicarse con sus semejantes con el fin de que pudiera transmitirles nuevas ideas y sensaciones, se le antojaba casi un delito utilizar tan maravilloso regalo de una forma estéril.

«Cuando no tengas nada que decir, no digas nada.»

Al cumplir los cuarenta había mandado grabar en una placa de bronce aquella frase que nunca imaginó que pudiera afectarle de forma tan directa, y ahora, superados los sesenta, se veía obligado a respetar su propio mandamiento aun a sabiendas de que significaba dejarse morir en vida.

Había nacido para ser escritor al igual que ciertas mujeres nacen para ser hermosas y cuando el tiempo marchitaba la hermosura, resultaba muy difícil aceptar que se podía haber sido algo más que una cara bonita.

Cuando ese mismo tiempo agotaba las ideas, resultaba muy difícil aceptar que se podía haber sido algo más que un simple escritor.

Ningún maquillaje devolvía la lozanía a una piel cuarteada, ni ninguna frase ingeniosa proporcionaba esplendor a un relato sin garra.

Las bellezas en declive buscaban refugio en las luces tenues y los ambientes sombríos; los autores desangelados lo encontraban en un perdido villorrio caribeño.

Amargo resultaba pasarse interminables horas en la terraza de una sucia taberna, contemplando el mar y sin compartir la mesa más que con los imaginarios personajes que un ya lejano día creara para sus novelas, que le acompañaron durante el tiempo que tardaba en escribirlas, pero que desde el momento en que pasaban por la imprenta le abandonaban para convertirse en propiedad de unos lectores cuyo único mérito se limitaba al hecho de haber comprado el libro.

Nunca consiguió averiguar por qué razón desaparecían de su vida esos personajes en cuanto concluía la última página y a qué remoto lugar iban a parar quienes hasta pocas noches antes habían poblado su imaginación.

De tanto en tanto volvían a su memoria, sentándose a su lado en la taberna, y continuaban siendo idénticos, como si se hubieran quedado tan inmóviles como en una vieja fotografía.

Observó aquel rostro que quizá muy pronto se vería obligado a buscar las penumbras y pareció llegar a la conclusión de que se trataba del rostro de un desesperado náufrago que intentaba salvarse aferrándose a otro náufrago igualmente desesperado.

—¿Por qué lo hizo? —se decidió a inquirir al fin.

—¿Cometer el atentado...? —El casi imperceptible encogimiento de hombros parecía dar a entender que ni siquiera ella estaba muy segura de lo que decía al añadir—: Debieron de existir muchas razones, aunque preferiría suponer que tan sólo fue por dinero.

—¿Preferiría suponer...? —repitió sorprendido el escritor—. El dinero es el peor de los motivos a la hora de cometer un acto tan execrable.

—No para mí, puesto que ese dinero significaba que rompería con su pasado y que nos iríamos muy lejos. ¿Tiene una idea de lo que significa ser la eterna segundona que aguarda durante días a que su hombre le dedique tan sólo unos minutos?

—Algo he escrito sobre eso.

—No quisiera ofenderle, pero conozco la mayor parte de su obra y le aseguro que sus personajes poco tienen que ver con la realidad —sentenció la mujer en un tono tan natural que impedía sentirse ofendido—. Sus novelas tenían éxito porque resultaban sorprendentes, cautivadoras o apasionantes, ya que estaban pobladas de protagonistas heroicos o exóticos y a la mayoría de los lectores les hubiera gustado ser como ellos aunque supieran de antemano que nunca lo conseguirían.

—¡Curiosa definición! —admitió su interlocutor, en parte admirado y en cierto modo halagado—. Y tal vez acertada, pero no creo que haya viajado hasta un lugar tan remoto con la intención de discutir sobre literatura, y si por lo que veo considera que mis personajes no resultan «reales», no entiendo a qué viene pedirme que escriba sobre un misterioso «atentado» que asegura que ha ocurrido, aunque nadie más opine de esa forma.

—Porque nos necesitamos —fue la seca respuesta.

Asdrúbal Valladares, nacido en la violenta Medellín, de la que su familia había escapado por miedo a los atentados y los secuestros, lo que había propiciado que se criase a caballo entre Bogotá y Londres, hizo un amplio gesto como queriendo poner de manifiesto la paz y el sosiego que les rodeaba, al tiempo que puntualizaba con marcada acidez:

—¿Considera que alguien que ha decidido pasar el resto de sus días en este perdido paraíso la necesita?

—Ese tipo de paraísos se creó para los pobres de espíritu y estoy convencida de que usted no lo es.

—¿Y eso cómo puede saberlo?

—Porque un escritor tiene derecho a ser bueno, malo o regular, pero nunca pobre de espíritu.

—Está claro que no conoce a Marcelo Marcel, pero eso es algo que no viene al caso. —Aprovechó que el camarero había hecho su aparición en la puerta del local con el fin de gritarle—: ¡Santos! ¡Por favor, tráeme una «sangre de atún»!

—¿Tan temprano, don Asdrúbal? —pareció escandalizarse el otro—. Amanecerá en la playa.

—El sol ya se ha puesto y la compañía lo merece. —El escritor se volvió de nuevo a la mujer con el fin de inquirir—: ¿Le apetece uno?

—¿Qué es eso?

—La especialidad de la casa: absenta, ron y jugo de mango a partes iguales. —Alzó el dedo como indicando que faltaba un detalle muy importante al especificar—: Adornado con huevas de atún.

—¡Dios me libre! Suena asqueroso —fue la horrorizada exclamación acompañada de un leve gesto de repugnancia—. Preferiría un coñac, si no le importa.

Asdrúbal Valladares abrió los brazos como dando a entender que cada cual era libre de castigarse el hígado como mejor le apeteciese, y en cuanto el camarero desapareció en busca de lo pedido, le hizo notar:

—¡Por cierto...! Aún ni siquiera me ha dicho quién es, de dónde viene ni cómo se llama.

—Me llamo Salima Alzaidieri, nací en Teherán, aunque he pasado gran parte de mi vida en Dublín, y desde hace unos cinco años resido en Houston.

—¡Curiosos cambios! —comentó su compañero de mesa—. ¿Qué relación existe entre Irán, Irlanda y Texas?

—La más importante es que se encuentran muy lejos unos de otros. Abandoné Teherán huyendo de un ambiente demasiado rígido y abandoné Irlanda huyendo de un esposo demasiado «liberal». Nadie en mi familia bebía, pero mi marido lo hacía por todos los iraníes juntos. —Hizo una pausa mientras el camarero les servía lo que habían pedido, y tan sólo cuando el llamado Santos hubo desaparecido en el interior del local añadió—: Pero no he venido aquí para contarle mi vida, sino con el fin de recabar su ayuda en un tema que acabará afectando a muchísima gente. ¿Le interesa o no la idea de escribir ese libro?

—¿Basándome en estas tres simples fotos?

—No son «simples fotos» —le contradijo ella, visi-

14

blemente molesta y casi ofendida—. Son la prueba de que se cometió un delito que se llevó varias vidas por delante.

El colombiano se tomó tiempo a la hora de responder; apuró de un solo trago su «exótica» y casi repelente bebida, lo que le obligó a estremecerse como si acabaran de propinarle una descarga eléctrica, parpadeó varias veces y acabó por estudiar de nuevo y con mayor atención las tan mencionadas fotografías.

Le vino a la mente la vieja y manida frase: «Si hay algo a lo que no pueda resistirme es a una tentación», y aquélla era sin duda una tentación demasiado fuerte.

Se vio a sí mismo regresando a lejanos tiempos en los que cada hora sonaba el teléfono solicitándole una nueva novela, una entrevista, un artículo muy bien pagado o una rimbombante conferencia en salones en los que se apretujaba un público ansioso y expectante, y se preguntó si sentía nostalgia de la dorada época en la que preciosas muchachas hacían cola con el fin de que les firmara un libro mientras dejaban sobre la mesa un número de teléfono. Por último se preguntó si le apetecía regresar a aquel tipo de vida o prefería continuar sentado a la puerta de una vieja taberna dominicana aguardando a que el cuarto «atún» frío comenzara a hacer su efecto y el denostado mundo se fuera convirtiendo poco a poco en una especie de densa nebulosa.

«Cuando no tengas nada que decir, no digas nada.» Eran tantos los años que se había visto obligado a guardar silencio que demasiado a menudo se avergonzaba de una «impotencia mental» tan sólo comparable a la desesperación que pudiera experimentar un hombre que no fuera capaz de tener una erección en el momento en que se acostaba con la mujer que amaba.

Y él aún amaba escribir, de eso no le cabía la menor duda.

En cierta ocasión un periodista le preguntó si nunca se le presentaban problemas a la hora de enfrentarse a una hoja en blanco, y recordaba muy bien que le respondió entre risas que más problemas le proporcionaba enfrentarse a una hoja de papel negro.

Ahora era distinto; ahora le aterrorizaban unos folios que tan sólo era capaz de rellenar de frases manidas y lugares comunes.

Cuando su editora aventuró que el problema estribaba en que se había obsesionado con el pasado y lo que tenía que hacer era mirar de frente al futuro, no pudo por menos que responderle:

—Intentar mirar de frente al futuro es una estupidez, querida, puesto que el futuro nunca da la cara.

No obstante, hacía ya tiempo que había llegado a la conclusión de que apoltronado en aquella desvencijada butaca de mimbre comida por el sol había logrado descubrir que su futuro presentaba el rostro de un alcohólico que acabaría sus días ahogado por unos vómitos que apestarían a absenta y ron baratos.

—Tan sólo son unas fotos... —repitió como si aquélla fuera la única tabla de salvación que tenía a su alcance—. Y sospecho que por el mero hecho de recibirlas y no entregárselas de inmediato a las autoridades se convierte usted en cómplice de esos atentados y esas muertes. ¿Realmente pretende que cuente esa historia arriesgándose a pasar años entre rejas?

—Si la explosión que provocó Gordon fue la culpable de tan espantosa catástrofe, estoy dispuesta a arriesgarme —fue la respuesta de una mujer a la que se advertía segura de sus convicciones—. Pero sospecho que

Gordon no fue más que un pobre iluso cargado de buenas intenciones y del que otros se aprovecharon.

—Le recuerdo que al fin y al cabo yo no soy más que un simple escritor retirado, no un detective.

La mujer, que también había apurado su copa, hizo un gesto al camarero, que la observaba desde el interior de la taberna, indicándole que sirviera otra ronda al tiempo que replicaba:

—Si cuenta una historia que obligue a pensar que alguien está obteniendo portentosos beneficios de la mayor catástrofe medioambiental que haya existido, probablemente quienes disponen de los medios necesarios para investigar a fondo se decidan a hacerlo.

—Me gustaría poder compartir su optimismo.

—No es optimismo; es desesperación. Cuando se ha sido una desgraciada durante más de cuarenta años y vislumbras que las cosas cambiarán y se te va a conceder la felicidad que ansiabas pero de improviso tus sueños se truncan de una forma cruel y dolorosa, no te resignas a la idea de que todo va a ser aún peor, puesto que además ahora cargas con un excesivo peso sobre la conciencia.

—La experiencia me ha enseñado que de ese tipo de cargas sobre la conciencia tan sólo se libran quienes nunca tuvieron conciencia —sentenció seguro de sí mismo el colombiano—. Recuerdos y remordimientos son lo único que el ser humano se lleva a la tumba.

—¿Acaso contar la verdad no ayuda? —se sorprendió ella.

—Contar la verdad nunca ha ayudado a nadie, querida; eso también lo sé por experiencia. Mi primera mujer me abandonó alegando que le había ocultado una aventura extramatrimonial... —Asdrúbal Vallada-

17

res apuró la nueva copa que el camarero había colocado ante él, volvió a estremecerse de pies a cabeza y
sonrió moviendo esta última como si le costara aceptar
que lo que decía era verdad—. Y la segunda porque no
se lo oculté.

2

Se despertó en la playa, junto a un charco de vómitos que hedían a ron; aún faltaba media hora para que la primera claridad del día hiciera su aparición en el horizonte, orinó aún de rodillas e hizo un supremo esfuerzo tambaleándose, cayendo y volviéndose a levantar con el fin de alcanzar a duras penas el porche, donde se derrumbó derrotado por la evidencia de que, como de costumbre, no acertaba a introducir la llave en la cerradura.

Tres somnolientos pescadores cruzaron a su lado sin prestarle mayor atención que a una piedra del camino, como si el desharrapado borrachín formara ya parte del paisaje, un chicuelo se divirtió derramándole agua en la cara, y cuando ya a pleno día la oronda Braulia hizo su aparición, se limitó a apartarle las piernas, abrir la puerta y pasar sobre el caído sus cien kilos de grasa con el fin de iniciar cuanto antes la tarea de adecentar la casa y preparar el almuerzo.

Arrastrar al durmiente hasta su cuarto y subirlo a la cama no formaba parte de sus obligaciones; ya que la última vez que lo intentó acabó desriñonada, y si al muy cerdo se le ocurría vomitar, más valía que lo hiciera en un porche que se baldeaba fácilmente.

Se encontraba troceando pescado cuando le llegó muy clara la esperada llamada de auxilio.

—¡Braulia! ¡Échame una mano, Braulia!

—¡Que le zurzan!

—Este maldito sol pega de frente y me está secando el cerebro.

—Usted tiene el cerebro más seco que la pinga de Rufino, o sea, que no me venga con ésas —replicó despectivamente la gorda—. Lo que tiene que hacer es reventar de una vez y dejarme la casa libre; la gringa de los perros me pagaría el doble.

—La gringa es una maldita bruja y sus perros te lo cagarían todo —masculló el hombre—. ¡Por favor!

—¡Jódase! —fue la a todas luces desconsiderada respuesta—. ¿No le gusta tanto la «sangre de atún»? ¡Pues que le aproveche la «sangre de atún»!

Ni siquiera se volvió cuando advirtió que cruzaba a sus espaldas casi agarrándose a las paredes y tampoco se inmutó al escuchar como cerraba de un sonoro portazo el dormitorio, limitándose a mover de un lado a otro la cabeza como si se negara a aceptar que su antaño educado y encantador «señorito» se hubiera degradado hasta el punto de quedarse dormido en el porche dos o tres veces por semana.

—¡Maldito guarro! —masculló—. Si para eso sirve ir a la universidad y viajar tanto, me alegra que el Rufino sea una acémila. ¡Menuda mañanita me espera!

Y es que en días de «resaca» el normalmente educado Asdrúbal Valladares se volvía insoportable, puesto que parecía llegar a la amarga conclusión de que la playa era mucho más acogedora que su casa y su tibia arena, más cálida, más mullida y sobre todo menos voluble que su vetusta cama.

A la orilla del mar no existían sudorosas Braulias que le riñesen, mohosos muelles que rechinasen ni retorcidos cabezales que retumbasen contra las paredes debido a que en ocasiones aquel desvencijado armatoste de colchón relleno de hojas de maíz parecía dotado de vida propia, oscilando a su antojo en cuanto se lanzaba sobre él.

A su modo de ver era la única cama de este mundo que iba a contracorriente: en lugar de invitar a dormir, espantaba el sueño.

Cuando abría los ojos en la playa, las nubes cruzaban sobre su cabeza y en ocasiones le empapaban; cuando los abría en su dormitorio, tan sólo distinguía el mismo mugriento techo de siempre.

Se veía obligado a admitir, no obstante, que a aquel impávido techo nunca se le había ocurrido cagarle encima, y a más de una gaviota sí.

Permitió que transcurriera el tiempo tumbado sobre la nostalgia porque a menudo abrigaba la extraña sensación de que cada una de las hojas de maíz que rellenaban el mugriento colchón era un recuerdo, hasta el punto de que la unión de todos ellos conformaba una crujiente montaña de la que ascendían vapores de los maravillosos momentos que había vivido a lo largo de sus excesivamente agitados sesenta y pocos años.

Recordaba haber escrito que la añoranza es el sentimiento que por más tiempo perdura en el corazón de los seres humanos, debido a que resulta más sencillo dejar de amar a quien se ama que dejar de añorar a quien se ha amado.

La nostalgia solía ser el peor enemigo de quienes pasaban por momentos difíciles, al igual que la imaginación solía ser el peor enemigo de quienes se encontraban en peligro; en el primero de los casos porque la mente se retrotraía a una época que se recordaba mejor de lo que en realidad había sido, y en el segundo debido a que el miedo obligaba a imaginar que los sufrimientos que estaban por venir serían peores de lo que en verdad llegaban a ser.

Evocando sus propias palabras aquella bochornosa mañana de hipo, sudores y pestilencias no podía por menos que preguntarse si su vida pasada había sido tan plena y satisfactoria como creía.

Muchos hombres intentaban hacer cosas importantes con la idea de escribir un libro, mientras que él había escrito una treintena de libros con la intención de hacer algo importante algún día.

Ambas fórmulas solían acabar en sonoros fracasos.

Ahora una misteriosa iraní que había acabado por alejarse tambaleando por culpa de la media docena de copas de coñac que se había metido entre pecho y espalda le ofrecía la oportunidad de embarcarse en una empresa ciertamente loable: poner al descubierto las oscuras razones por las que se había desencadenado una catástrofe ecológica de imprevisibles proporciones.

—Gordon era una «autoridad de paro», por lo que tenía libre acceso a la mayoría de las plataformas del Golfo y llevaba años advirtiendo que no se respetaban normas de seguridad que consideraba esenciales —le había contado Salima Alzaidieri cuando aún se encontraba en condiciones de hablar de un modo inteligible—. Aborrecía a los ingleses porque miran por encima del hombro y responden despectivamente a quienes cuestionan sus métodos, imponiendo sus criterios con la prepotencia del general que no admite que un simple sargento le haga notar que se han adentrado por error en un campo de minas. Y eso le encabronaba.

—¿Hasta el punto de decidir que una de esas «minas» reventase? —inquirió él con manifiesta mala intención.

—¡No! —fue la firme respuesta de la mujer de las profundas ojeras—. A él nunca se le habría ocurrido; admito que fue el brazo ejecutor, pero estoy convencida de que la idea partió de otros.

—¿De quién?

—Ésa es la pregunta clave —reconoció ella en el momento de elevar su copa número seis—. Siempre me he preguntado quién le empujó a hacerlo y le proporcionó los medios, pero aunque barajo varias hipótesis no pienso contárselas si no tiene intención de escribir ese libro.

Eso fue todo, pero a decir verdad bastaba para que alguien que había llegado a ser un autor de renombre gracias a una insaciable curiosidad la viera marchar preguntándose si no valdría la pena escuchar el resto de la historia.

No obstante, sus buenas intenciones duraron apenas diez minutos, que fue el tiempo que tardó el exceso de «sangre de atún» en hacer su efecto.

A partir de ese momento se había abierto un paréntesis que tan sólo se cerró en el momento de despertar sobre la arena.

Permaneció amodorrado y como entre brumas hasta que la vieja foca le pateó la puerta gritándole que o salía a comer o se largaba, y a punto estuvo de vomitar de nuevo al descubrir que sobre la mesa le había colocado un humeante plato de atún con tomate.

—¡Si será hija de puta...! —masculló para sus adentros—. ¿No podía haber elegido otra cosa?

Pese a lo inapropiado del menú se vio obligado a admitir que comer algo, aunque fuera tan grasiento guisote, le sentaba bien, por lo que a media tarde decidió extraer de su funda la vieja olivetti que treinta años atrás le había acompañado en cuatro guerras.

—¿Podría dedicarme un par de minutos...?

Alcé el rostro y la observé; debía de estar ya muy cerca de los cuarenta pero continuaba siendo atractiva pese a la profundidad de sus ojeras y el gesto de cansancio, tristeza o amargura que parecía emanar de cada poro de su cuerpo.

—Usted dirá.

—Le agradecería que les echara un vistazo.

Había depositado tres fotografías sobre el velador del bar y las fue señalando mientras colocaba el dedo índice sobre cada una de ellas.

—La primera fue tomada unos segundos antes de que empezara, la segunda en el momento de la explosión, y la última cuando sobrevino la catástrofe.

En poco menos de una hora Asdrúbal Valladares había conseguido completar la página y a su modo de ver no cabía duda de que aquélla era la mejor forma de empezar: ir directamente al grano, tal como habían ocurrido los hechos y sin esforzarse en buscar giros llamativos ni adornar las palabras. ¡Toda una página!

Por primera vez en años llenaba de letras una página y por primera vez no sentía una irrefrenable necesidad de romperla en pedazos.

Satisfecho de sí mismo telefoneó al hotel preguntando por Salima Alzaidieri y una voz de sobra conocida le respondió que allí no se alojaba nadie con un nombre tan impronunciable.

—¡Vamos, Rita! —se impacientó—. No me hagas perder el tiempo; sabes muy bien a quién me estoy refiriendo.

—¿Y desde cuándo le preocupa perder el tiempo, don Asdrúbal? —fue la descarada respuesta de la muchacha, que casualmente era sobrina del tabernero que había inventado la «sangre de atún»—. Que yo sepa no ha hecho usted otra cosa durante los últimos años.

La mayoría de los habitantes del pueblo eran primos, tíos o sobrinos, por lo que todos sabían lo que hacía cada cual, especialmente aquel que llegara con aureola de escritor consagrado y ahora tan sólo era el borrachín más famoso de la comarca.

—¡Ése no es tu problema, mentecata! —le espetó el colombiano sin el menor reparo—. ¡Ponme con ella!

Cuando la otra obedeció, tan sólo necesitó escuchar la primera frase para comprender que la iraní parecía haber cambiado de opinión.

Y es que Salima Alzaidieri se había pasado once horas durmiendo y luego había dedicado otras tres a la ardua tarea de intentar que su cerebro recuperara la capacidad de discernir.

Desde la época en que su marido se empeñaba en que le acompañara a hacer la ronda de las tabernas de Dublín no se sentía tan revuelta y miserable, y ello la obligó a pensar que no había sido buena idea buscar la ayuda de un personaje capaz de echarse al coleto en una noche ocho o diez copas de un repugnante y pestilente mejunje.

¡«Sangre de atún»! ¿A quién se le habría ocurrido inventar semejante potingue y a quién se le podría ocurrir bebérselo?

Tan sólo a un hombre acabado, un desecho de la sociedad consciente de que lo único que le quedaba por hacer en la vida era pegarse un tiro o matarse lentamente a base de ron y absenta.

Se preguntó qué habría sido de quien un día escribiera:

El amor es un misterio con un millón de años a sus espaldas, repetido a diario en cada rincón del mundo pero no por ello menos desconocido y sorprendente, puesto que surge de improviso sin razón aparente, se alimenta de sí mismo, crece y en ocasiones muere al igual que nació, sin razón válida alguna que sirva para aclarar por qué llegó o por qué se fue, qué cuna lo meció o en qué tumba se enterró.

Había leído aquella frase en unos momentos en los que amaba apasionadamente a un hombre por el que estaba dispuesta a dar la vida, por lo que siempre estuvo convencida de que quien la escribió poseía una sensibilidad muy especial y una espiritualidad fuera de lo común.

Y tras una larga búsqueda se había topado con un hediondo zarrapastroso que desde el momento en que se escuchó una cumbia lejana se puso a bailar y cantar riendo a carcajadas.

Aquélla era una escena que traía a su mente odiosos recuerdos de mil noches semejantes no en una cálida playa caribeña, sino en lluviosas y tétricas aceras por las que cargaba con un cerdo que no cesaba de gritar e insultar a cuantos se cruzaban en su camino.

Su juventud, ¡su hermosa y única juventud!, se había perdido en oscuras callejuelas, entre golpes, insultos, vergüenza y humillaciones, teniendo que contemplar cómo una inmunda bola de sebo se detenía de tanto en tanto a orinar contra las puertas despreciando con aspavientos y voz aguardentosa a quienes le afeaban su conducta.

No estaba dispuesta a revivir tan amarga experiencia. ¡No! Bajo ningún concepto.

En algún lugar del mundo debía de existir un escritor sobrio y capacitado a la hora de contar de forma clara las razones por las que una persona tan decente como Gordon Sullivan se había prestado a un peligroso juego que le condujo a la muerte.

—No es sólo que necesitemos ese dinero para iniciar una nueva vida —le había dicho poco antes de emprender un viaje del que jamás regresaría—. Es que debemos mandar un serio aviso a esos hijos de puta; o les paramos los pies o provocarán una catástrofe de incalculables proporciones.

No cabía alegar ahora que sus palabras fueran premonitorias, porque a su modo de ver «premonitorio» no era el término correcto; lo apropiado hubiera sido señalar que había sucedido lo que tenía que suceder.

Y lo importante estribaba en averiguar si había ocurrido por casualidad o porque alguien se las había ingeniado para que ocurriera sin importarle que al hacerlo se llevara varias vidas por delante.

Entre ellas la de quien una noche se la había encontrado sentada en una acera contemplando a un borracho que roncaba y la había cubierto con su abrigo.

El compasivo y dulce gesto de alguien a quien aún no había visto la obligó a sentirse protegida por primera vez en su vida, por lo que amó al dueño de aquel abrigo incluso antes de alzar el rostro o aceptar la mano con la que la invitaba a alejarse de allí para no volver nunca.

Estaba convencida de que tan sólo quien se hubiera sentido en alguna ocasión absolutamente desamparado entendería las razones de aquel súbito amor que «surgió de improviso y sin razón aparente», y que le constaba que ya no la abandonaría hasta el día en que sus cenizas fueran arrojadas al Golfo y se alejaran entre sus aguas con el fin de reunirse con su amado.

Porque una de las principales razones que la impulsaron a lanzarse en busca de la verdad sobre cuanto había ocurrido aquel malhadado día de infausta memoria era que el cuerpo de Gordon nunca se encontró y ni tan siquiera se mencionó el hecho de que figurara entre los desaparecidos.

Oficialmente no estaba en la plataforma a la hora del incendio.

«Oficialmente» no estaba en ninguna parte.

Ni al parecer volvería a estarlo.

Tan sólo ella poseía pruebas de que Gordon Sullivan había colocado el explosivo y le había enviado unas fotos que miraba y remiraba intentando descubrir por qué razón lo que en principio se suponía que apenas sería algo más que un simple petardo de feria había provocado una gigantesca explosión que acabó devorando aquella monstruosa estructura metálica de aspecto indestructible.

Estaba convencida de que la minúscula cantidad de explosivos que Gordon ocultaba en el interior de su ordenador no hubiera bastado ni para derribar la pared de un cuarto de baño, pero como por arte de magia había convertido el antiguo mar de los caribes en una sucursal del averno.

Salima Alzaidieri hubiera renunciado al paraíso a cambio de que le proporcionaran una respuesta, pero había llegado al convencimiento de que no se la darían a no ser que alguien consiguiera que millones de personas se hicieran la misma pregunta.

Durante un tiempo estuvo tentada de acudir con su historia y sus fotos a la prensa, pero era cosa sabida que en los medios de comunicación las grandes noticias lejanas solían desaparecer devoradas por las pequeñas noticias cercanas.

Su cadena alimentaria era como un insaciable monstruo que nadara en aguas profundas, siempre con las fauces abiertas y decidido a tragarse a su predecesor, cualquiera que fuera su tamaño.

Los diez mil muertos de un terremoto en Turquía desaparecían dos días después bajo los cadáveres de ocho muertos en un accidente de autobús de la provincia, y éstos volvían a ceder la primera plana ante la aparición del cuerpo de una niña violada en la ciudad.

Salima Alzaidieri estaba convencida de que únicamente los libros que contaban la historia de un héroe que regresaba a Ítaca o de un loco que se enfrentaba a molinos de viento soportaban el paso del tiempo.

Tan sólo un buen libro merecía encerrar entre sus páginas la malograda hazaña de aquel nuevo Quijote que pretendió enfrentarse a los monstruos de acero que envenenaban los mares.

Pero no había sabido encontrar ni a un Homero ni a un Cervantes.

Al único que había encontrado era a un baboso que se reblandecía el cerebro a base de absenta y ron aceptando de antemano que serían las gaviotas las que comenzarían a enterrarle el frío amanecer en que descubrieran su cadáver en la playa y le cagaran encima.

—¿Qué diferencia existe entre la mierda de una alegre gaviota y la ceniza del cigarrillo de un triste sepulturero? —había comentado Asdrúbal Valladares cuando ya los vapores del alcohol empañaban por completo su mente—. A los gusanos no les gusta el tabaco.

¿Cómo podía balbucear semejante estupidez el mismo que escribiera:

Existe un tiempo para amar a los seres humanos, otro para confiar en los seres humanos y un tercero para decepcionarse con los seres humanos, pero por desgracia son tiempos que siempre avanzan en idéntico orden?

Se maldijo a sí misma por el precioso tiempo que había perdido en buscar al autor de unas frases que anotaba en un cuaderno en lo que ahora consideraba de igual modo una absurda pérdida de tiempo.

Lo que encontró al final de aquel largo viaje no fue un escritor de exquisita sensibilidad, sino un profesional de las palabras que inventaba frases ingeniosas con la misma habilidad con que un prestidigitador sacaba objetos de un sombrero.

Nada por aquí, nada por allí y de improviso un ramo de flores de colores que se suponía que obligaría a pensar, pero cuya auténtica finalidad era rellenar un pedazo de papel y cobrar por ello.

No necesitó esforzarse mucho a la hora de comentar:

—Lamento haberle molestado, pero he decidido dejar este asunto.

—Pero ¿por qué? —se sorprendió el colombiano.

—Si no lo sabe, no creo que valga la pena explicárselo —fue la agria respuesta—. He llegado a la conclusión de que un problema tan complejo requiere de alguien más joven.

—Supongo que sabía mi edad antes de venir.

—Se equivoca —replicó ella sin el menor reparo—. Sabía en qué año había nacido, pero no su verdadera edad; en ocasiones suelen ser cosas muy diferentes.

—En mi caso lo admito porque a veces tengo la impresión de haber cumplido cien años, pero le agradecería que por lo menos me permitiera invitarla a cenar.

—Lo siento, pero estoy a punto de marcharme.

—¡Ni se le ocurra! —le advirtió en un tono que delataba una sincera preocupación—. Si sale ahora, la cogerá la noche en las montañas, las carreteras han quedado muy dañadas por el terremoto y se han convertido en un auténtico laberinto en el que se arriesga a caer por un barranco o a que la violen en cuanto se detenga.

Se hizo un silencio que daba a entender que quien se encontraba al otro lado de la línea sopesaba las opciones, a sabiendas de que si ya aquellos retorcidos y endiablados caminos de tierra se le habían antojado una insoportable pesadilla a la luz del día, debía aceptar el hecho de que en plena noche se convertirían en su tumba.

—¡De acuerdo! —masculló al fin de mala gana—. ¿Dónde y a qué hora?

—A las nueve en El Tesorero; está a unos quinientos metros del hotel y le garantizo que le va a encantar.

Asdrúbal Valladares colgó el vetusto auricular de baquelita negra, encendió un cigarro y fue a tomar asiento en el porche a contemplar por enésima vez cómo caía la tarde y cómo las gaviotas aprovechaban la poca luz que quedaba en procurar pasar la noche con el estómago repleto de los incontables pececillos que se habían ido aproximando a la orilla con las primeras sombras.

Ya a oscuras se bañó en la playa, se puso una camisa

y unos pantalones limpios y se encaminó sin prisas al lugar de la cita.

En efecto, a Salima Alzaidieri le fascinó el lugar, puesto que el original restaurante al aire libre se alzaba bajo la amplia cornisa de un acantilado, lo que lo convertía casi en una cueva, mientras que justo a la orilla del agua se extendían dos grandes piscinas naturales en las que se movía en libertad una notable variedad de peces y mariscos.

El cliente indicaba lo que le apetecía cenar, un muchacho lo extraía del agua y se preparaba a la vista del comensal sirviéndolo sobre la vajilla de la oficialidad del *Corregidor*, un galeón que al parecer se había hundido no lejos de allí cuatrocientos años antes.

Las farolas, las anclas y los cañones que adornaban el local habían sido extraídos de igual modo del fondo del mar, y las malas lenguas aseguraban que su propietario, Celso Castañeda, tenía localizados por lo menos siete grandes navíos en aguas caribeñas.

—Por eso le llaman *el Tesorero*... —le aclaró el escritor a su invitada—. Fue uno de los primeros buceadores autónomos que se dedicaron a estudiar de un modo sistemático un mar en el que se sabe que abundaron los naufragios en la época colonial, pero como es un viejo zorro más listo que el hambre nunca admite haber encontrado nada de valor, con el fin de que no intervengan las autoridades locales o el Gobierno español no reclame sus derechos... —Hizo un gesto hacia la enorme mujerona que se encontraba tras la caja y que aún mantenía el porte de lo que había sido, una hermosísima criatura de larga melena rubia y ojos muy azules, al añadir—: Él jura y perjura que Erika es el único auténtico tesoro que ha encontrado en el fondo del mar.

—No me sorprende; parece una diosa nórdica.

—Es finlandesa; cuando terminemos de cenar, vendrá a preguntarnos si todo ha sido «*very* perfecto» y como tenga la menor duda le organizará una bronca al personal, aunque todo el mundo sabe que es pura comedia...

La bronca, real o fingida, no fue en absoluto necesaria puesto que la cena resultó «*very* perfecta», excepto quizá por el hecho de que Salima Alzaidieri insistió en su idea de marcharse a la mañana siguiente a un tranquilo hotel de Punta Cana con el fin de tomarse un tiempo a la hora de decidir si buscaba otro escritor o desistía de su empeño.

—Es cierto que el alcohol nubla la mente... —dijo a modo de conclusión—. Pero también es cierto que en ocasiones sus efectos ofrecen una forma muy distinta de ver los problemas.

—¿Como por ejemplo? —quiso saber el escritor, cuyo escepticismo resultaba evidente.

—Los «excesos» de anoche me han permitido caer en la cuenta de que tal vez esté cometiendo un error al pretender sacar a la luz un tema que ensuciaría la memoria de Gordon; no me gustaría que sus hijos tuvieran que vivir con el estigma de que fue su padre quien desencadenó semejante catástrofe medioambiental.

—¿Los conoce personalmente?

—No, pero cuando en verdad se ama a alguien, se debe amar a sus hijos porque son parte de él —fue la rápida respuesta, de cuya sinceridad no cabía duda—. Me hablaba tanto de ellos y se sentía tan orgulloso de cuanto hacían que era como si estuviesen durmiendo en el piso alto. Y sería muy amargo que cuando al fin se enteraran de mi existencia fuera porque acusé a su padre de terrorista; tan sólo de pensarlo me revolotean mariposas en el estómago.

Faltó poco para que el frustrado Asdrúbal Valladares utilizara las tenazas de partir patas de langosta para retorcerle la nariz por haberle hecho concebir falsas esperanzas; advirtió que estaba a punto de enfurecerse, pero hizo un esfuerzo y optó por tomárselo con calma.

—Si tiene mariposas en el estómago, se debe a que antes debía de tener gusanos, y lo que no entiendo es cómo diablos ha tardado tanto en llegar a esa conclusión; se habría ahorrado mucho trabajo.

—Si todos pensáramos las cosas con antelación, no cometeríamos errores, por lo que nuestras vidas serían perfectas —fue la desabrida pero en cierto modo lógica respuesta—. ¿O acaso se encuentra solo en el culo del mundo porque lo había pensado todo con anterioridad?

—Evidentemente, no —se vio obligado a reconocer muy a su pesar su compañero de mesa—. Estos últimos años me he afanado tanto en cometer errores que podría creerse que estoy intentando batir récords de ineptitud, que suelen estar en manos de políticos, pero si algo conservo de mi época dorada es la capacidad de percibir el leve perfume que emana de una buena historia. —Adelantó la mano posándola sobre la de ella como si estuviera tratando de tranquilizarla, al concluir—: Y no creo que su amigo Gordon sea el villano de esta historia.

—Pero no importa lo que usted crea, sino las conclusiones a que llegue la justicia. —Salima Alzaidieri alzó el dedo de forma significativa—. Me arriesgo a pasar una temporada en la cárcel.

—Ayer no parecía preocuparle.

—Es que ayer aún no le conocía —replicó la iraní con una demoledora sinceridad capaz de derribar cualquier muralla—. Me había hecho la ilusión de que uniendo nuestras fuerzas llegaríamos lejos, pero desde el momento en que le vi cantar, bailar y sobre todo eructar y reírse a carcajadas como un poseso para acabar roncando en la playa, comprendí que no existe camino alguno que podamos recorrer juntos.

—Lo lamento y le pido disculpas. —Resultó evidente que el escritor se sentía incómodo y avergonzado—. Le prometo que no volverá a ocurrir.

—Volverá a ocurrir. —La respuesta venía acompañada de una amarga sonrisa—. Lo que pasa es que no estaré presente porque desde el día en que dejé a mi marido juré no volver a soportar borrachos. No sólo son repugnantes, a menudo son contagiosos y la mejor prueba está en que, por primera vez en años, me siento asqueada.

Su acompañante la observó como si estuviera intentando llegar al fondo de su mente, desvió luego la vista hacia las piscinas, que resultaban hasta cierto punto fantasmagóricas con infinidad de cuerpos moviéndose de un lado a otro agitando apenas la superficie del agua, y aun a sabiendas de que iba a decir algo evidentemente molesto, se decidió a hacerlo.

—Si no le gustara beber no bebería, y como estaba presente me consta que nadie la obligó. Como solía decir un viejo vagabundo amigo mío, «más vale ser borrachito conocido que alcohólico anónimo», pero en el fondo el problema es el mismo; necesitamos echarle la culpa a algo o a alguien de nuestros errores.

—No había tomado una copa en cinco años, a pesar de que demasiado a menudo me sentía sola.

—La creo, pero imagino que el hecho de suponer que algún día sería feliz con el hombre al que amaba la obligaba a mantenerse sobria con el fin de no deteriorar su relación. —El escritor dejó pasar un corto tiempo, consciente de que de ese modo lo que iba a decir tendría más énfasis—. No obstante, ahora que ese hombre ha muerto, esa esperanza ya no existe y por lo tanto sabe tan bien como yo que el alcohol amenaza con convertirse de nuevo en un agridulce refugio. Y eso la asusta.

—No es que me asuste; es que me aterroriza.

—Lo entiendo, lo comparto, y por eso le ruego que reconsidere su decisión, porque si dejo de beber puedo hacer un buen trabajo y trabajar me ayudará a dejar de beber. —Asdrúbal Valladares extrajo del bolsillo de su camisa un papel doblado en cuatro y se lo entregó al tiempo que señalaba—: Ya he escrito la primera página y le he encontrado título: *El mar en llamas*.

—*El mar en llamas* —repitió ella—. Me gusta, pero un buen título no garantiza nada. —Leyó lo que estaba escrito y se limitó a inquirir con notable desconcierto—: ¿Esto es todo?

—Es lo que usted me empezó a contar y lo primordial es que sea capaz de transcribir lo que tiene que decir sin florituras literarias; a mi modo de ver, el tema encierra un tremendo interés por sí mismo.

—Pero no es suficiente —negó convencida Salima Alzaidieri—. Cuanto le diga deberá confirmarse o carecerá de valor.

Habían concluido de cenar, aguardaron a que les retiraran los platos y su interlocutor aprovechó para pedir un café al tiempo que encendía un inmenso puro dominicano, puesto que los prefería a unos habanos que encontraba a menudo demasiado secos.

Como aseguraba el dueño del restaurante: «El comunismo es tan chapucero que pronto incluso Fidel Castro fumará nuestros Vega Fina.»

Advirtió cómo la suave brisa marina alejaba el primer chorro de humo y se inclinó hacia delante de la forma casi instintiva que se suele adoptar cuando se pretende que alguien no escuche una conversación pese a que se encuentre a más de cien metros de distancia.

—Resulta imposible confirmar nada si no me ha contado nada... —musitó como si mascara las palabras—. ¿Lo entiende? Si me cuenta que Gordon atravesó el puente de los Suspiros, yo le confirmaré que estuvo en Venecia, pero si tan sólo me dice que un buen día Gordon suspiró, lo mismo pudo haber suspirado en Suecia que en Singapur.

—¡Menuda estupidez!

—Mayor estupidez se me antoja continuar con este juego. —El colombiano le golpeó de nuevo la mano con suavidad como si con ello estuviera urgiéndola a cambiar de idea—. Si resulto tan inútil como cree, nada pierde en contarme lo que sabe; y si no lo soy, tal vez lleguemos a alguna parte. ¡Decídase!

—¡De acuerdo! —admitió de mala gana la iraní—. Lo que Gordon y quienquiera que fuese el que le respaldase pretendían era atraer la atención de los miembros de la cúpula de la AGEN con el fin de que impidieran a los ingleses continuar perforando en tan pésimas condiciones de seguridad.

—¿Qué demonios es eso de la AGEN? —inquirió su compañero de mesa.

—La Asociación de Generadores de Energía, que viene a ser algo así como la Organización de Países Exportadores de Petróleo. Nació inspirada en ella pero intenta evitar sus tremendos errores, ya que hace años que esta última no cumple sus verdaderos propósitos.

—Conocí a su creador, el venezolano Pérez Alfonso —señaló el escritor—. Un hombre extraordinario que dedicó su vida a luchar por los más desfavorecidos.

—Gordon me contó que ese venezolano fundó la OPEP con el fin de conseguir que los ingresos se repartieran de una forma más justa, mitad y mitad entre empresas y Gobiernos, contribuyendo a paliar la miseria. Supongo que le dolería comprobar que lo único que consiguió fue convertir en multimillonarios a unos cuantos jeques que dedican ese dinero a palacios, putas y yates mientras la mayoría de sus súbditos viven en la miseria.

—Sabido es que cualquier cosa que haga un hombre en beneficio de los demás acaba siendo aprovechado por otro hombre en beneficio propio, pero eso es algo tan viejo como la humanidad.

—La AGEN huye de la rimbombante parafernalia de multitudinarios congresos y sus interminables discusiones, en las que todos opinan y nadie hace nada. —La mujer aguardó a que una pareja que había terminado de cenar y pasaba junto a ellos se alejara, y tan sólo entonces añadió—: Las decisiones las toman los miembros de la «Cúpula», cuatro jueces o mediadores que nunca benefician a un grupo determinado, sino que evitan confrontaciones y atienden a los intereses del conjunto.

—Me cuesta creerlo. —Asdrúbal Valladares negó una y otra vez con la cabeza para insistir—: Es más, simplemente no me lo creo.

—Está en su derecho, pero debe tener en cuenta que los grandes inversores suelen adquirir enormes paquetes de acciones tanto de petroleras como de centrales nucleares, hidráulicas o las llamadas «fuentes de energía alternativas». Según Gordon, hace casi treinta años, y ante la evidencia de que constituía un pésimo negocio enfrentarse entre sí provocando ruinosas oscilaciones en los precios de las distintas energías, optaron por constituir esa «Cúpula», cuyas decisiones resultan inapelables.

—¿Podría considerarse una especie de monopolio?

—¡No exactamente! Su principal misión es evitar choques y castigar «muy duramente» a quienes se saltan las reglas, sobre todo en lo que se refiere a la contaminación ambiental, puesto que el daño que causa una empresa repercute en el prestigio de todas. Para la mayoría de la gente, las productoras de energía son las principales culpables del deterioro del planeta.

—Y Gordon ¿cómo supo de la existencia de esa «Cúpula»?

—Porque llevaba toda la vida en el mundo de la energía y era uno de los encargados de evitar la contaminación ambiental.

—Quizá se inventó esa absurda historia con el fin de impresionarla.

—Lo que me impresionaba de Gordon era su bondad, su honradez y su preocupación por preservar el mundo para las futuras generaciones —fue la rápida respuesta—. Y le constaba que mi admiración por él no aumentaría aunque hubiera llegado a Australia en una barca de remos.

—Me temo que ninguna mujer ha sentido nunca algo así por mí —se lamentó el compungido escritor.

—Será porque no se lo merecía. —La muy arpía sonrió como un gato maligno al añadir—: Y ahora que le conozco lo comprendo.

—Pues ahora que empiezo a conocerla no comprendo que nadie pudiera enamorarse de una mujer tan criticona —fue la vengativa respuesta no carente de humor—. Pero si está en lo cierto y Gordon no intentaba epatarla inventándose un cuento rocambolesco, esa historia resulta fascinante.

—Ya se lo dije.

—¡Lo sé! —aceptó él—. Me lo dijo, pero como también usted misma dijo, hubo un tiempo en el que cientos de personas intentaban convencerme de que escribiera un libro sobre sus experiencias, porque no conozco a nadie que admita que cuanto ha hecho en este mundo se relata en cuatro simples palabras: nació, vivió y murió.

—En realidad eso es lo único que importa, nacer, vivir y morir; el resto tan sólo son anécdotas.

—¡Cierto! —reconoció Asdrúbal Valladares—. ¡Muy cierto!

Le interrumpió el repiqueteo de un móvil y le alarmó el tono de su propietaria al comentar mientras rebuscaba en el bolso:

—¡Qué extraño! Hoy es la cuarta vez que suena y únicamente Gordon conocía este número.

—¿Y quién la ha llamado? —se interesó él.

—La primera vez, un tipo que pretendía que me cambiara de compañía telefónica; la segunda, otro que me pidió que respondiera a una encuesta, y la tercera, alguien que quería que opinara sobre la conveniencia o no de prohibir las armas de fuego en Texas.

El colombiano alargó la mano impidiéndole que continuara buscando.

—No conteste —pidió—. Considérelo instinto o simple precaución.

—¿Intenta asustarme? —se lamentó en tono de amargo reproche la iraní.

—Tengo la impresión de que ya está lo suficientemente asustada, y si tan sólo una parte de lo que cuenta es cierto, resulta lógico que alguien intente averiguar a quién envió esas fotografías su amigo Gordon.

—Su móvil desapareció con él.

—Es posible, pero tenga en cuenta que los números a los que llamó figuran en su factura de teléfono.

Las manos de Salima Alzaidieri temblaron perceptiblemente en el momento en que desconectó su aparato y su voz sonó alterada al señalar:

—No lo había pensado.

—Mal hecho; los teléfonos móviles se han convertido en nuestros imprescindibles compañeros de viaje, pero también en nuestros peores enemigos, ya que nos traicionan revelando dónde nos encontramos o a quién hemos llamado. Hubo un tiempo en que tuve que sobornar al portero con el fin de que no subiera a casa los sobres de la compañía telefónica, porque descubrí que mi segunda mujer se dedicaba a investigar los números que figuraban en ella.

—Un poco bruja, ¿no le parece?

—¡Y tanto! Cada año le tenía que regalar una escoba nueva. —El escritor hizo un significativo gesto hacia el pequeño aparato que había quedado sobre la mesa, al inquirir—: ¿Está a su nombre?

—El de casada; preferí entrar en los Estados Unidos con pasaporte irlandés, porque estaba demasiado reciente el atentado de las Torres Gemelas y supuse que el iraní me acarrearía problemas.

—Bien pensado, aunque si quienes la buscan tienen auténtico interés en encontrarla, localizarán a su marido en Irlanda.

—¡Muchas tabernas tendrán que visitar! —replicó

ella con evidente sentido del humor, aunque su tono de voz se transformó—: ¿De verdad cree que podrían localizarme a través del móvil?

—No estoy seguro, pero le aconsejo que lo mantenga desconectado mientras no le resulte imprescindible. —Asdrúbal Valladares hizo el gesto de apartar algo con la mano como si con ello materializase que daba por finalizada esa cuestión, a la par que insistía—: Y ahora volvamos a lo que importa: al parecer Gordon y sus amigos tan sólo pretendían advertir del peligro a los miembros de esa «Cúpula», pero lo único que consiguieron fue que se enterara hasta el gato. ¿Cuál es según usted el siguiente capítulo de esta historia?

3

—La Organización de Países Exportadores de Petróleo nació en el momento justo y se adueñó de la economía mundial durante cuatro décadas, pero con el paso de los años se ha convertido en una vieja ballena, torpe y sin reflejos, que chapotea entre agresivos tiburones que le van arrancando la piel a bocados. Para tomar una sencilla decisión tienen que reunirse ceremoniosos jeques e ineptos políticos que discuten inútilmente hasta el hastío. —El hombre que lucía sobre la camisa los símbolos «€&$» bordados en oro se sirvió limonada en un vaso sobre el que aparecía grabado un anagrama idéntico, y tras calmar su sed añadió—: Mientras tanto, cuatro eficaces hijos de puta, que en realidad son cuatro sanguinarios tiburones tigre que trabajan para la Asociación de Generadores de Energía, han permitido que los precios del crudo se hundan mientras los de otras fuentes de producción suben.

—Lo admito, pero usted tiene la suficiente experiencia como para entender lo difícil que nos resulta ponernos de acuerdo con los saudíes, los venezolanos o los nigerianos.

—Por ello les estoy proponiendo proporcionarles «tiburones blancos», que son los únicos capaces de enfrentarse a los «tiburones tigre» que les están arruinando —le hizo notar Eugene Sanick con la misma tranquilidad que si estuviera refiriéndose al hecho de pintar o no los noventa metros de eslora de su estilizado yate—. A los ojos del mundo la OPEP continuaría siendo el mismo patoso mastodonte, sus miembros vivirían convencidos de que toman trascendentales decisiones, pero lo manejaría todo una sola cabeza, más rápida y eficaz que las de esos cuatro cerdos.

—¿Y me está proponiendo que esa cabeza sea la suya?

—Tan sólo mientras demuestre que sé cómo hacer las cosas.

—¿Y cómo lo demostraría?

—Recuperando unos precios que les harían ganar lo que nunca habían soñado. —El tono seguía siendo el distendido propio de quien está seguro de sí mismo—. Hace tres años se pagaban ciento cincuenta dólares por un barril de crudo, lo que propició que la mayoría de ustedes se embarcaran en una serie de proyectos faraónicos convencidos de que en poco tiempo ese precio se aproximaría a los doscientos.

—Eso es muy cierto; todos confiábamos en que los precios continuarían subiendo.

—Sin embargo, de pronto bajaron a la mitad, por lo que, si las cosas no se arreglan pronto, los intereses de sus deudas les arrancarán la piel a tiras de la misma forma que los tiburones se la arrancan a la vieja ballena.

—Aún tenemos capacidad de resistencia.

—«Resistir» siempre ha sido una palabra negativa, mi querido Faruk, e impropia de quienes hasta hace poco se apoderaban sin esfuerzo de cuanto les apetecía. —El dueño de aquella especie de Versalles flotante se inclinó con el fin de observar mejor a quien tenía enfrente, al insistir—: Lo que le estoy proponiendo, al igual que al resto de los países perjudicados por el derrumbe de los precios, es acabar con esa política de defensa y pasar al ataque.

—Le consta, porque le conoce bien, que el emir siempre ha sido enemigo de las confrontaciones.

—Loable actitud mientras no le acosen; pero cuando lo que está en juego es la propia subsistencia, resulta imprescindible plantar cara.

—No puedo negarle que en eso estoy de acuerdo.

—Su país depende del petróleo, por lo que si permite que cuatro individuos, cuya principal misión es equilibrar los precios pero al propio tiempo defienden los intereses de otros tipos de energía, manejen los mercados a su antojo, está cavando su tumba y usted lo sabe.

—Resulta usted llamativamente persuasivo.

—Tuve el mejor maestro.

—Lord Browne, según tengo entendido. —Ante el mudo gesto de asentimiento el llamado Faruk inquirió—: ¿Está metido en esto?

—¡Dios me libre! —replicó el otro como si la simple idea le horrorizase—. Si lo estuviera sería el jefe, pero durante los años que pasé a su lado aprendí mucho.

—¿«A su lado»? —repitió el otro con una divertida sonrisa.

—¡«A su lado»! —Eugene Sanick recalcó mucho las palabras—. John siempre supo cuál es la distancia que separa una buena cabeza de un buen culo y mi culo no es de los que despiertan pasiones. Le debo mucho puesto que mucho me enseñó, pero ningún árbol llega a ser el más alto mientras crezca a la sombra de otro; lord Browne es sin duda el cerebro más preclaro que he conocido, pero el final del camino hay que transitarlo en solitario.

—Cuesta aceptar que un hombre tan inteligente, carismático, eficaz y en cierto modo «imprescindible» para la industria fuera sustituido por ese mentecato de Tony Hayward, que lo único que ha hecho es poner una cagada tras otra.

—El problema estriba en que a John le pierden los macarras —fue la respuesta, que vino acompañada de una amarga sonrisa al añadir—: Su histeria llega al punto de que no soporta la cercanía de mujeres, y la mayoría de cuantos trabajan para él, desde ejecutivos a camareros, deben ser chicos guapos. Y la homosexualidad llevada a esos extremos confería una pésima imagen a la British Petroleum.

—Peor imagen tiene ahora —le hizo notar su acompañante.

—Sin la menor duda, puesto que entra dentro de lo posible que no vuelva a levantar cabeza —reconoció su interlocutor—. Las malas lenguas aseguran, y particularmente yo las creo, que fue Tony Hayward quien alentó y echó gasolina al fuego de los escándalos de John con el fin de sustituirle en contra de la opinión de una gran parte de los accionistas, a los que les importaban más los dividendos propios que los culos ajenos.

—Una actitud comprensible y disculpable.

—Que comparto plenamente, pero ganaron los moralistas y, con el fin de calmarlos y de que continuaran sintiéndose satisfechos con sus dividendos, Hayward recortó de forma drástica los gastos en una seguridad en la que lord Browne invertía mucho. Y el resultado está a la vista: no sólo ha puesto en peligro los puestos de trabajo de miles de empleados directos y los ahorros de millones de jubilados que los confiaron a su empresa, sino el futuro de una industria de la que depende muchísima gente.

—¿Y cómo es posible que un solo hombre causara tanto daño?

—Permitiéndole ocupar el sillón equivocado en el momento equivocado.

—Resulta evidente que en muchas cosas usted ha superado a su «maestro» —señaló Faruk-el-Fasi aludiendo al desbordante lujo de cuanto les rodeaba.

—En dinero; sólo en dinero. En muchos otros aspectos resulta imposible superar a John.

—¡Si usted lo dice! Pero volvamos a lo nuestro: ¿cuál es exactamente la propuesta que quiere hacerle al emir?

—Que si se une a mi grupo conseguiré que parte de sus acreedores les concedan una moratoria de dos años. —El dueño del gigantesco navío, en cuya cubierta superior se encontraban disfrutando de una plácida noche de luna casi llena, tardó al menos medio minuto antes de afirmar—: Y le garantizo que para entonces habré conseguido que el precio del barril alcance los ciento treinta dólares.

—¿Qué clase de garantía?

—Un contrato por el que me quedaría con la mayor parte de la producción de ese año del emirato a un mínimo de cien por barril, es decir, casi veinte dólares más de lo que están recibiendo ahora. —Esbozó una sonrisa al añadir—: En contrapartida, en cuanto el precio supere los cien dólares, recibiré dos por cada barril que exporten.

—Una apuesta muy fuerte.

—Cuando se juega a la ruleta, y ustedes suelen jugarse fortunas, tienen una posibilidad entre treinta y seis de que salga su número y por desgracia no pueden obligar a la bolita a que caiga donde quieren. He hecho unos cálculos por los que considero, sin pecar de excesivo optimismo, que mis posibilidades de éxito son de nueve contra una. Y dispongo de la ventaja añadida de que soy el que hace girar la ruleta y tira la bolita.

—Aun así correría un gran riesgo.

—Estoy dispuesto a asumirlo.

—Ya lo veo y me admira —reconoció con sinceridad el otro—. ¿Cómo piensa hacer girar la ruleta y tirar al mismo tiempo la bolita con el fin de que caiga donde quiere?

—Ése es un secreto que estoy dispuesto a revelarle al emir en el momento en que acepte el trato.

Faruk-el-Fasi dedicó unos instantes a reflexionar sobre lo que acababa de oír, observó cómo un mar en calma semejaba una inmensa bandeja de plata bruñida y al poco extrajo del bolsillo un sobre cerrado.

—Ésta es una carta del emir en la que le especifica que todas las decisiones que tome son como si él mismo las hubiera tomado. Me honra con su confianza y por lo tanto le ruego que considere que el acuerdo ha sido aceptado.

Su interlocutor se limitó a dejar el sobre en la mesa que les separaba, al señalar:

—Mi primer paso será echar abajo...

—¡Perdone! —le interrumpió el otro—. ¿No piensa leer la carta?

—Confío en su palabra.

—En asuntos de tanta trascendencia la palabra no debe ser suficiente.

—Para mí sí, y bastante más que un contrato, pero para su tranquilidad le aclararé que tardaremos seis horas en llegar a las Bahamas, y si descubro que esa carta no es auténtica nunca volverá a pisar tierra firme.

—Eso me tranquiliza —fue la en cierto modo absurda respuesta.

—Me alegra saberlo. —Aquel a quien muchos conocían por el apodo de «€&$», que era al propio tiempo el nombre del barco, al que había bautizado de modo tan excéntrico debido a que su botadura había coincidido con la puesta en circulación del euro, carraspeó un par de veces, se rascó repetidamente el lóbulo de la oreja y continuó—: Como le iba diciendo, en cuanto consiga echar abajo a esa «Cúpula», cundirá el desconcierto entre los generadores de energía, que tardarán meses, o tal vez años, en volver a levantarla.

—¿«Echar abajo» significa deshacerse de sus miembros para siempre?

—Más «para siempre» imposible —fue la seca y rotunda respuesta—. Y o mucho me equivoco o nadie sabrá cómo reparar una compleja estructura que tanto tiempo y esfuerzo costó organizar. —Se sirvió un nuevo vaso de limonada, del que bebió mientras estudiaba las reacciones de quien no perdía detalle de sus palabras—. Dividir al enemigo constituye la primera regla de toda guerra, y la catástrofe del Golfo ha provocado un enorme desconcierto entre los productores de energía, por lo que estoy convencido de que al quedar descabezados cada cual se preocupará únicamente por defender sus intereses.

—¿Y cómo piensa deshacerse de ellos cuando nadie sabe quiénes son?

Eugene Sanick sonrió de oreja a oreja y con evidente

cinismo, al tiempo que guiñaba un ojo con un gesto de evidente complicidad.

—No sé quiénes son, pero sí dónde y cuándo suelen reunirse, sobre todo en tiempos de crisis, y éstos sin duda lo son. —Hizo una corta pausa antes de inquirir con remarcada intención—: ¿Quién cree que puede asaltar un banco con mayores garantías de éxito que quien diseñó su seguridad y conoce una puerta trasera de la que nadie ha sabido nunca nada?

—¿Usted creó esa «Cúpula»? —se asombró su acompañante.

—Y fui uno de sus primeros miembros.

—O sea, que piensa traicionar a sus amigos.

La respuesta vino acompañada de un repetido gesto de negación.

—Yo nunca he sido amigo de amigos, querido amigo. He tenido socios a los que nunca he traicionado, infinidad de amantes a las que traicioné infinidad de veces, y una esposa increíble a la que continúo fiel pese a que murió hace años, pero también tengo lo que pudiéramos considerar una especie de «código ético», dentro de la manifiesta inmoralidad de la mayoría de mis negocios. Al parecer la BP pretendía explotar en exclusiva los nuevos yacimientos de Libia, por lo que Tony Hayward sobornó a varios políticos ingleses con el fin de que dejaran en libertad a Aldelbadel al Megrani, el terrorista libio culpable de colocar la bomba del avión de la Pan Am que provocó la muerte de trescientas personas. —Hizo una nueva pausa antes de pontificar—: Y le aseguro que eso ya no se me antoja mínimamente «ético».

—Ahora que lo dice, resulta significativo que a los pocos meses de la inexplicable liberación por parte del

Gobierno inglés de ese terrorista, sea precisamente una plataforma de la BP la que se derrumbe tal vez a causa de un atentado terrorista.

—Y resulta indignante que los miembros de la «Cúpula», que tenían la obligación de oponerse frontalmente a que se intercambiara sangre por petróleo de una forma tan descarada, acepten que se perfore en «aguas ultraprofundas», sin las debidas garantías de seguridad. Están haciendo dejación de sus funciones o han permitido que los corrompan y por lo tanto merecen que se les corte la cabeza.

—Sobre todo si al cortársela se obtiene un beneficio adicional de dos dólares por barril —le hizo notar Faruk-el-Fasi sin el menor empacho.

—¡Naturalmente, querido amigo! —fue la cínica respuesta—. ¡Naturalmente! Siempre se ha dicho que la venganza sabe mejor cuando se sirve fría, pero resulta muchísimo más agradable si viene acompañada por una apetitosa guarnición.

—¿Y no le preocupan las posibles represalias? —quiso saber el árabe—. Se va a enfrentar a gente muy poderosa.

—No le niego que si tuviera hijos o mi esposa viviera, ni tan siquiera me plantearía embarcarme en semejante aventura, pero el hecho de saber que lo único que te estás jugando es tu propia vida y que el principal aliciente es ganar dinero, te deja las manos libres. —Le guiñó de nuevo un ojo a su invitado al tiempo que concluía—: Le aseguro que si me matan nadie lo va a lamentar; ni siquiera yo.

Como solía sucederle cuando hablaba de la vida, el amor o la muerte, en esos momentos cruzó por la mente de Eugene Sanick la disparatada escena en la que lo primero que alcanzó a distinguir fue un oso casi de tamaño natural al que Georgia se abrazaba en el momento en que penetraba en el coche y lo sentaba frente a ella.

—¿A que es precioso? Es para el hijo de Diana, pero tengo la impresión de que me lo voy a quedar. ¡Al Girarrosto! —ordenó al chófer—. Y acelera, que llegamos tarde.

El vehículo se puso en marcha y sin apartar la vista del descomunal muñeco la joven añadió:

—Quedará muy bien junto a la ventana de mi dormitorio, ¿no crees?

—Supongo que sí —respondió Sanick divertido.

Fue en esos momentos cuando se dignó mirarle por primera vez con aquellos inmensos ojos verdes que le hipnotizaron desde ese mismo instante, por lo que inquirió sorprendida:

—Y usted, ¿quién diablos es?

—Eugene Sanick, para servirla.

—Su nombre me suena. —La joven apartó un poco el muñeco con la intención de hablar con el chófer, abrió la boca, pareció sorprenderse aún más, y acabó por exclamar entre divertida y maravillada:

—¡Caramba, Arthur! ¿Desde cuándo eres blanco?

—Desde que nací, señorita —respondió el chófer sin inmutarse—. Y no soy Arthur, soy Dimitri.

—¡Más a mi favor! Te notaba cambiado. ¿Adónde me llevas?

—Al Girarrosto. ¿No es lo que me ha ordenado?

Se la advertía cada vez más perpleja, cosa que rara vez volvió a producirse a lo largo de los años, lo observó todo con atención y por fin se volvió de nuevo a quien se sentaba a su lado.

—O sea, ¿que no se trata de un secuestro?

—¡En absoluto! —respondió Eugene Sanick conteniendo a duras penas las ganas de echarse a reír.

—¡Qué desilusión! En ese caso, ¿qué hace usted en mi coche?

—La pregunta correcta no es qué hago yo en su coche, señorita, sino qué hace usted en el mío.

Podría asegurarse que Georgia Wallis acababa de caerse desde lo alto de una de las estilizadas palmeras de la ancha avenida por la que circulaban, buscó en su bolso unas diminutas gafas, estudió con detalle la tapicería y el mueble bar, y por último exclamó divertida:

—Esto es una botella de ginebra y esto una colilla, por lo que, dado que yo no bebo ginebra ni fumo en el coche, debo llegar a la lógica deducción de que éste no debe de ser el mío.

—¡Elemental, querido Watson! Sería usted un gran detective.

—¡Cuando yo digo que todos los rolls-royce son iguales!

—¡Parecidos! —le replicó su cada vez más divertido acompañante—. Y si no me equivoco, el que nos sigue, conducido por un negro inmenso que sin duda se llama Arthur, debe de ser el suyo.

Ella se volvió, saludó con la mano a su chófer, que se limitó a encogerse de hombros como indicando que estaba acostumbrado a que ocurrieran cosas semejantes, y por último comentó:

—¡Entiéndalo! Una sale de una tienda abrazada a un oso, ve un rolls-royce plateado, presupone que es el suyo y entra. ¡Puede ocurrirle a cualquiera!

—A cualquiera que tenga un rolls-royce plateado y un oso gigante —admitió el propietario del vehículo sin darle importancia al malentendido—. ¿Piensa comer sola?

—Con mi padre, lo que viene a ser lo mismo, porque habla menos que el oso. —Le observó con atención como si en verdad le viera por primera vez, asintió dándole su aprobación y guiñándole un ojo añadió—: ¿Estaba esperando a «alguien especial» en la juguetería?

—A mi secretario, pero supongo que ya habrá cogido un taxi.

—En ese caso le invito a comer.

Diez minutos después entraban riendo y llevando entre los dos el oso en el lujoso restaurante en el que almorzaba Leopold Wallis, quien ni se inmutó cuando su hija le dio un beso mientras sentaba el gigantesco peluche a su derecha.

—¡Hola, papá! —dijo—. ¡Disculpa el retraso!

—¡Hola, hija! —replicó él con la calma de quien ha repetido cien veces las mismas palabras—. No te preocupes, ya había empezado, porque a las tres tengo una cita. —Alzó el rostro hacia quien la acompañaba—. ¡Hola, Eugene! —le saludó—. No sabía que conocieras a mi hija.

—Se metió en mi coche.

—¡Pero, Georgia...!

—Te ha dicho que me metí en su coche —le interrumpió ella—. No en su cama. —Hizo un gesto hacia el peluche al inquirir—: ¿Te gusta?

—Me gustará si lloriquea menos que tu último novio.

—Que yo sepa los osos no suelen buscar refugio en la cocaína. —Se volvió a quien se sentaba a su izquierda con el fin de indagar—: ¿O sí?

—Tengo entendido que los de peluche no. —Eugene Sanick se dirigió a Leopold Wallis al tiempo que inquiría, indicando con el dedo pulgar a la joven—: ¿Siempre es así de...? —Dudó a la hora de encontrar la palabra adecuada, por lo que el otro acudió en su ayuda al puntualizar:

—¿«Surrealista»? ¡Desde luego! Salvador Dalí habría aprendido mucho a su lado. ¿Qué haces en Los Ángeles?

—Lo de siempre; petróleo, gas y cosas de ésas. Y tú, ¿en qué tipo de negocios andas metido?

—Continúo con los hoteles y los cruceros, pero ahora me han ofrecido participar en una superproducción sobre el hundimiento del *Titanic* debido a que mi abuelo murió en el naufragio. Me lo estoy pensando, aunque el mundo del cine no acaba de convencerme.

—¡Ni a mí! —intervino alegremente la joven—. Sin maquillaje, ni ellas son tan guapas ni ellos tan atractivos, aparte de que los productores parecen ejecutivos de una empresa farmacéutica y no creativos con la fantasía o la desbordante imaginación que se espera de ellos. Y el guión que te han enseñado es una mierda.

—¡Tampoco es tan malo! —protestó su padre.

—Como de verdad rueden esa estúpida escena de los dos tortolitos con las melenas al viento, como mascarones de proa de un inmenso transatlántico que se aleja en el atardecer, te juro que vomito, o me como al oso. Es lo más cursi que he leído en mi vida.

Eugene Sanick, que a cada minuto que pasaba se sentía más fascinado por la peculiar forma de comportarse de su compañera de mesa, inquirió:

—Y tú, aparte de criticar guiones de cine y comprar osos de peluche, ¿a qué te dedicas?

—A coleccionar piedras.

—¿Diamantes, zafiros o esmeraldas?

—Georgia no colecciona piedras preciosas —fue la aclaración que no aclaraba nada de quien conocía tan bien a su hija que sabía por experiencia que nadie conseguiría entenderla—. Dedica la mayor parte de su fortuna personal a comprar piedras comunes y corrientes.

—¿Y para qué las quiere?

—Sospecho que es algo relacionado con su madre, que en paz descanse, pero nunca he conseguido que me lo aclare.

—Pues imagino que si a ti, que eres su padre, no te lo ha dicho, a mí no me lo dirá hasta que celebremos las bodas de plata.

—¡Vaya por Dios! —no pudo por menos que lamentarse Leopold Wallis—. ¡Otro surrealista! —Le dio un codazo al peluche al añadir—: Espero que por lo menos tú salgas sensato.

—¿Te parece insensato que a un cincuentón que hasta ahora sólo ha vivido para ganar dinero le seduzca la idea de casarse con una preciosa criatura con la que tiene la impresión de que nunca se aburriría?

—En eso tienes razón, ¿qué quieres que te diga? —admitió el otro—. Aburrirte nunca te aburrirías, pero como me consta que eres un canalla malnacido, un especulador desaprensivo, una hiena sin entrañas para las mujeres y uno de los tiburones más sanguinarios y crueles del mundo empresarial, te voy a hacer una advertencia. —Le apuntó amenazadoramente con el índice, justo a los ojos, y tras un tenso silencio en que cabría asegurar que el aire podía cortarse con un cuchillo, comenzó a desviar la mano muy despacio hasta fijarla sobre su hija y concluir—: Ésta de aquí, ¡la del oso!, a las hienas las transforma en chihuahuas y a los tiburones en sardinas, o sea, que luego no me vengas lloriqueando.

4

Su vida se encontraba indisolublemente ligada a aquel mar, aquellas playas, aquellas marismas y aquellos manglares.

Sus primeros recuerdos se remontaban a una bandada de pelícanos recortándose contra el sol, el olor de la brisa marina y el retumbar de las olas contra la arena.

Pasarían años antes de que se acostumbrara al fuerte sabor del marisco, pero a menudo evocaba el placer que le producía atrapar los brillantes peces que el sedal de su padre arrastraba desde el mar, en el que se introducía con el fin de sacarlos del agua y lanzarlos a la arena entre saltos de alegría y gritos de entusiasmo.

Aquel lugar constituía una sucursal del Edén, por lo que le bastaba con la certeza de que por el simple hecho de morir con la conciencia limpia el Señor le premiaría permitiendo que su alma se quedara pescando y disfrutando de un paisaje que siendo siempre el mismo cambiaba, no obstante, con cada hora del día y cada día del año.

Cuatro generaciones de su familia habían elegido aquella remota ensenada como el refugio ideal para descansar y siempre había imaginado que otras cuatro seguirían sus pasos.

Pero ahora se encontraba allí sentado, contemplando incrédulo cómo el paraíso se había transformado en infierno debido a que en el horizonte se distinguían negras columnas de humo, mientras un agua antaño limpia y refulgente se mostraba ahora como un grasiento puré de lentejas sobre el que flotaban cientos de peces muertos y aleteaban docenas de hermosas aves, que agonizaban intentando elevar el vuelo inútilmente.

Un pestilente sudario cobrizo cubría de muerte el paisaje.

De haber imaginado que sus lágrimas harían desaparecer aquella horrenda sarna venenosa, que avanzaba en silencio al igual que pudiera hacerlo una babosa al cubrir de saliva una flor, no hubiera dudado en deshacer en llanto hasta el último de sus huesos, pero era tanto su pesar y tan sincero su dolor que llorar no se le antojaba suficiente.

No había lágrimas en el mundo para conseguir que aquel repelente manto, que en inmensas extensiones semejaba sangre cuajada, desapareciese de la faz del planeta.

Y nunca las habría, porque ni en sus peores pesadillas cruzó por su mente la idea de que la tan esperada catástrofe alcanzara tan desmesuradas proporciones.

Había empezado a preocuparse el día en que descubrió que, pese a que sus reservas se consideraban agotadas, el golfo de México resurgía como área de explotación petrolera de primordial importancia, con gigantescas reservas de crudo a miles de metros de profundidad.

Y había comenzado a aterrorizarse cuando comprendió que, sin olvidar las frecuentes tormentas y huracanes, se plantearían innumerables problemas a la hora de explotar los nuevos yacimientos, puesto que aquél era un mar en el que los torbellinos y las contra-corrientes creaban vibraciones e incontrolables movimientos provocados por vórtices que amenazaban las columnas de perforación.

Por si ello no bastara, le constaba que una vez que se hubiera taladrado el fondo marino se alcanzaría un punto en el que abundaban bolsas de metano a muy altas presiones.

«Con las nuevas tecnologías seremos capaces de perforar pozos en un fondo de agua de tres mil metros, con una profundidad total de diez mil, sobrepasando así los límites hasta ahora imaginables.»

Aquella frase, pronunciada en un tono de verdad absoluta por el prepotente director general de su propia empresa, le reafirmó en su convicción de que pronto o tarde tendría que enfrentarse al desolador paisaje frente al que ahora se encontraba, porque la ceguera de algunos seres humanos no conocía límites.

«Nos convertiremos en los líderes de la industria y llegaremos a donde nadie se ha atrevido a llegar.»

Sin duda lo habían conseguido, puesto que hasta aquel momento nadie había osado cometer un acto de barbarie en el que aire, agua, tierra, hombres, animales y plantas sufrieran por igual a causa de la desmesurada ambición de un puñado de descerebrados que jamás atendían a razones.

Resultaron inútiles sus airadas protestas, sus docenas de rigurosos informes o sus firmes llamadas a la cordura intentando hacer comprender a sus superiores que la maldita capa de diapiros de la altura de una cordillera constituía un riesgo que las tan sobrevaloradas «tecnologías punta» aún no estaban en condiciones de afrontar, ya que tan inestable masa de yeso y sal nunca permitiría estudiar los lodos y predecir si lo que encontraría la perforadora en su camino sería petróleo o una gigantesca bolsa de metano, pero nadie le escuchó.

Se trataba de una carrera hacia las profundidades en la que el premio eran billones de dólares, porque tan sólo a uno de los yacimientos, el Tahití, localizado a trescientos kilómetros de donde ahora se encontraba, se le calculaban unas reservas de quinientos millones de barriles de crudo, lo que significaría una ganancia neta de casi treinta mil millones de dólares para la compañía explotadora. ¡Un solo yacimiento!

El propio Gobierno admitía que el fondo del golfo de México podría guardar unas reservas de cuarenta y cinco mil millones de barriles de crudo.

¿Qué importancia tenía frente a semejantes cifras la vida de las aves o los peces del Golfo?

Algunas especies desaparecerían para siempre, pero las generaciones futuras nunca las echarían de menos puesto que no las habían conocido, mientras que esas generaciones futuras continuarían exigiendo más y más combustible para sus vehículos.

Tan sólo quienes, como él, habían conocido aquel lugar tal como fuera el día de la Creación notarían la ausencia de aquellas aves y aquellos peces.

Pero él no pertenecía a las generaciones futuras.

Comenzaba a caer la tarde en el momento en que a lo lejos hizo su aparición un hombre que avanzaba sin prisas por la orilla del agua.

Vestía el mono blanco con capucha, las botas amarillas y los guantes de goma de los miles de operarios contratados con el fin de intentar limpiar las playas, por lo que iba recogiendo los animales muertos que encontraba a su paso y los depositaba en una bolsa que cargaba al hombro.

El horror del paisaje circundante obligaba a imaginar que se trataba de un extraterrestre encargado de eliminar los últimos restos de vida de un planeta que acababa de aniquilar a base de sofisticadas armas químicas.

Se aproximó casi arrastrando los pies, tomó asiento en un montículo de arena a menos de dos metros de distancia y al poco se despojó de la mascarilla que le cubría la nariz y la boca en un vano intento de protegerse de unas emanaciones que podrían acabar matándole.

—¡Malos días! —saludó con desgana—. ¿Cómo se siente?

—¿Cómo quiere que me sienta? —masculló el otro—. Desolado.

—¡Lógico! —señaló quien ni siquiera había pedido permiso para acomodarse, con un casi imperceptible gesto de asentimiento—. Yo también lo estaría si me encontrara en su lugar.

Le observó sorprendido; era un hombre vulgar, con un rostro anodino y unos ojos que parecían estar mirando siempre hacia otro lado.

—¿Qué ha querido decir?

—Que me sentiría desolado al comprender que semejante desastre es culpa mía. —El recién llegado extendió la enguantada mano como si intentara detener sus protestas—. ¡No se moleste! —añadió—. No he venido hasta aquí sudando como un pollo dentro de este ridículo disfraz para perder el tiempo escuchando disculpas.

—No sé de qué me habla... —murmuró el otro, incómodo.

—Lo sabe. Si me he dado un paseo tan largo es porque vengo buscando al ingeniero especializado en plataformas de perforación que ha tomado parte en el sabotaje de la Deepwater Horizon.

—Pero ¿qué dice? —se horrorizó el hombre—. ¿Es que se ha vuelto loco?

—¡En absoluto! —La tranquilidad de que hacía gala el desconocido hacía imaginar que por sus venas no corría sangre—. Sé bien de lo que hablo, porque las facturas de sus respectivos teléfonos indican que un tal Gordon Sullivan y un tal Peter Miller se llamaban hasta dos y tres veces diarias. —Chasqueó la lengua como si lo que iba a añadir resultara una prueba irrefutable—. Y sus asentamientos bancarios indican que hace cuatro meses el susodicho Gordon Sullivan le transfirió al susodicho Peter Miller, es decir, a usted, doscientos mil dólares con el fin de que le aconsejara sobre la forma de causar el mayor daño posible a la hora de prenderle fuego a esa plataforma de perforación.

—Se equivoca —se indignó aquel a quien habían llamado Peter Miller, cuyo rostro aparecía ahora tan blanco como el mono de trabajo de su interlocutor—. Ese dinero estaba destinado a diseñar un sistema que minimizara los efectos de la detonación pero al propio tiempo diera la sensación de que el accidente había sido mucho más grave de lo que era en realidad.

—¡Pues le felicito! —replicó el otro con evidente sorna, al tiempo que señalaba con un amplio ademán cuanto les rodeaba—. La «sensación» es de auténtica gravedad. O por lo menos así lo entienden esos pelícanos.

—No era ésa nuestra intención. —Al infeliz se le advertía tan vencido y desmoralizado que ni siquiera se esforzaba en negar su participación en el desastre—. No era lo que pretendíamos —repitió como para sí mismo—. Precisamente lo que pretendíamos era evitarlo.

—¡Explíquese! —exigió el desconocido—. Y no intente volver a mentirme.

—Sabíamos que pronto o tarde sobrevendría un desastre porque varias empresas, especialmente la British Petroleum, no respetaban las mínimas normas de seguridad, hasta el extremo de haber desconectado las alarmas contra incendios.

—Me cuesta creerlo.

—Pues es la verdad; las alarmas de la Deepwater Horizon llevaban meses fuera de servicio con la disculpa de que a menudo se disparaban despertando a los operarios a altas horas de la madrugada, y los funcionarios del Servicio de Administración de Minerales se habían dejado sobornar con el fin de que las «autoridades de paro» no lo denunciaran.

—¿Quiénes son esas «autoridades de paro»?

—Los técnicos encargados de impedir que se realicen tareas peligrosas para los trabajadores o el medio ambiente.

—No sabía que existiesen.

—Pues existen. —Peter Miller alargó la mano, tomó un puñado de arena y fue permitiendo que se deslizara entre sus dedos mientras añadía con la cabeza gacha—: Gordon Sullivan era uno de ellos, sus decisiones siempre habían sido consideradas inapelables y por lo tanto constituían un freno para unos hijos de puta que imparten órdenes desde despachos de Houston, Londres o Nueva York. Lo único que les importa es la cuenta de resultados y consiguieron que a las «autoridades de paro» no les permitieran intervenir.

—Algo he aprendido respecto a sobornos, hijos de puta y cuentas de resultados —admitió con evidente sorna el desconocido.

—Ahora Obama ha destituido a los que se dejaron sobornar, pero se les puede ver jugando en el Pine Crest Golf Club de Houston como si nada tuvieran que ver con todo esto, mientras que los que intentamos impedirlo nos hemos convertido en chivos expiatorios.

—Suele ocurrir —admitió el hombre del mono blanco ensayando lo que casi parecía ser una sonrisa—. Y con mayor frecuencia de lo que se imagina. ¿Qué más puede contarme sobre el mundo del petróleo?

—¿Contarle? —fue la pregunta que respondía a otra pregunta—. Si lo conoce ya sabe cómo es, y si no lo conoce resultará inútil cuanto le diga. Lo único que importa es que cada dólar invertido se multiplique por mil.

—¿Quién más está implicado en este asunto?

—Nunca lo supe.

Las primeras sombras habían comenzado a adueñarse del paisaje y, tras cerciorarse de que no se distinguía presencia alguna por los alrededores, el falso empleado de limpieza esgrimió un revólver de cañón corto con el que apuntó a Miller directamente a la cabeza.

—¡Vamos! —insistió como si se sintiera estafado u ofendido—. No me haga perder el tiempo; un atentado de semejante envergadura no lo preparan entre dos hombres.

—Había alguien más —aceptó el amenazado con la

resignación propia de quien ya lo ha dado todo por perdido—. Proporcionó el dinero, pero Gordon nunca me dijo de dónde provenía.

—¿Alguna empresa rival? —El gesto de negación no daba pie a malas interpretaciones, por lo que insistió—: ¿Cómo está tan seguro?

—Porque bajo esas aguas se esconde un tesoro incalculable y nadie que aspire a apoderarse de una parte de tan inmenso pastel permitiría que se quemara en el horno, tal como está ocurriendo.

—Entonces, ¿quién puede haber aportado el dinero?

—Alguien muy rico que piensa como nosotros.

El hombre que empuñaba el arma tardó en responder, mientras observaba cómo cuanto les rodeaba iba perdiendo forma con la llegada de la oscuridad. Pareció alcanzar la conclusión de que aún podría distinguir a su acompañante durante los próximos quince minutos y chasqueó la lengua como si cada vez que lo hacía remarcase de forma indiscutible sus palabras.

—Me temo que es usted uno de esos iluminados que imaginan que la gente invierte su dinero en salvar patos y peces —dijo—. Pero la cuenta corriente de Gordon Sullivan presentaba ingresos inexplicables por valor de dos millones de dólares, de los cuales tan sólo le entregó doscientos mil, otros quinientos mil fueron a parar a la escuálida cartilla de ahorros de su mujer, una pobre infeliz que ni siquiera se había enterado de que los tenía, y del resto nadie sabe nada. Y dos millones de dólares es una suma que me obliga a suponer que no se trata de una causa altruista.

—Le juro que no sabía que se estuviera moviendo tanto dinero.

—¡Y mire por dónde yo le creo! —admitió el otro

asintiendo con la cabeza—. Mi trabajo consiste en averiguar cuándo alguien se echa un farol o trata de ocultar que lleva buenas cartas, y usted ni se echa un farol ni lleva buenas cartas; creo que tan sólo es el típico pardillo del que los demás han abusado.

—¿Y va a matarme por eso?

—Me lo estoy pensando. —Le observó con atención para añadir al poco—: No parece que le preocupe.

—Me haría un favor, porque he venido con la intención de tirarme al mar, pero está tan asqueroso que me provoca un cierto repelús que encuentren mi cuerpo flotando en esa mierda. Ni siquiera serviría de pasto para los peces.

—Es que ya ni siquiera hay peces. —Tras una corta pausa le observó de reojo al inquirir—: ¿Ha sabido algo de Sullivan?

—¿Y qué quiere que sepa si está muerto? —se sorprendió el interrogado.

—Los muertos que desaparecen con un millón trescientos mil dólares en el bolsillo nunca han sido muertos de fiar —puntualizó el otro—. Mi obligación, esté vivo o muerto, es averiguar quién le proporcionó tanto dinero y por qué alguien tenía interés en convertir en chatarra una plataforma valorada en quinientos millones de dólares. ¿Conoce a su amante?

—La vi una vez; es alta, morena, con muy buen cuerpo y unos ojos preciosos; tengo entendido que de origen árabe, aunque habla con acento europeo; apenas crucé con ella media docena de palabras.

—¿Tenía aspecto de terrorista?

—Nunca he sabido qué aspecto tienen los terroristas y supongo que si alguien lo supiera no andarían tan sueltos.

—Respuesta inteligente a una pregunta estúpida —admitió el otro sin el menor reparo—. Mi oficio es observar a la gente, pero no sería capaz de reconocer a dos metros de distancia a un terrorista a no ser que llevase un cinturón de bombas. ¿Cómo se llama?

—No lo recuerdo. —El ingeniero intentó hacer memoria, pero acabó negando al añadir—: Zaida, Salma, Zoraida o algo parecido.

—¿Tiene idea de dónde vive?

—Supongo que cerca del parque Hermann, en Houston, porque fue allí donde Gordon me la presentó y tuve la impresión de que había llegado dando un paseo, porque ni siquiera traía bolso.

—Es una zona demasiado extensa.

—Todo en Texas es demasiado extenso.

Peter Miller casi no tuvo tiempo de darse cuenta de que el desconocido situaba el revólver bajo su mentón y le volaba los sesos de un seco disparo, en el que su cerebro hizo las veces de silenciador.

Cayó hacia atrás, muerto en el acto, y sin inmutarse su asesino le colocó el arma en la mano, apretó con fuerza disparando hacia el mar y a continuación abrió el tambor, sustituyendo un casquillo vacío por una nueva bala.

A su modo de ver, el escenario quedaba perfecto: un pobre hombre que había llegado hasta allí agobiado por sus culpas y en cuyas manos se habían incrustado restos de pólvora de la única bala que al parecer había disparado su arma; había optado por volarse la cabeza en lugar de arrojarse a un mar hediondo.

Se cargó al hombro la bolsa de basura y se alejó en la noche.

5

Le entregó a Salima hasta el último dólar de que disponía con el fin de que fuera a la capital a comprarle varias cosas que necesitaba, entre ellas un ordenador portátil con el que conectarse a internet, ya que constituía la única forma de obtener información de primera mano en un perdido villorrio de la costa norte de la República Dominicana.

Luego telefoneó a su editora, le dijo que estaba convencido de tener entre manos «el libro de su vida», y le suplicó que le adelantara dinero.

—No pienso darte un céntimo a no ser que vea por lo menos un par de capítulos —fue la gélida respuesta de la muy arpía—. Te advertí que no debías quedarte tanto tiempo en dique seco.

—Es que no se me ocurría nada.

—Pues la ocurrencia de pedirme dinero tampoco ha sido buena.

Prometió enviarle las primeras cincuenta páginas en cuanto las tuviera listas y le suplicó que le proporcionara algún dinero aun a costa de quedarse de por vida los derechos de autor de sus novelas anteriores.

Le constaba que al hacerlo quemaba definitivamente sus naves, visto que el mísero goteo de aquellos viejos derechos era lo único que le permitía subsistir, pero estaba convencido de que había momentos en los que se hacía necesario jugarse el todo por el todo.

Si quería volver a ser quien había sido y experimentar la fabulosa sensación de estar creando personajes y situaciones que conseguirían que los lectores se pasaran las noches devorando páginas y ansiando llegar al final de la novela, aunque deseando al mismo tiempo que ese final nunca se produjera, tenía que lanzarse al vacío arriesgándose a romperse una crisma que a decir verdad nunca había servido para otra cosa.

La malhumorada Braulia lo encontraba casi todas las mañanas de bruces sobre una mesa repleta de hojas garabateadas a mano, debido a que la deshilachada cinta de la vieja olivetti había exhalado su último suspiro y hacía ya mucho tiempo que aquel tipo de cintas no se fabricaban, o al menos no se encontraban en la isla.

En ocasiones, cuando en mitad de la noche se quedaba como alelado con el bolígrafo en alto, experimentando la acuciante necesidad de recurrir al consuelo de la única botella de ron que guardaba en la alacena, se esforzaba como nunca lo hiciera, optando por bajar a la playa para introducirse en el mar y permanecer muy quieto observando las estrellas, aunque sin atreverse a pedirles que le ayudaran a atrapar una esquiva idea que se había quedado flotando en el aire.

Sabía que tenían que surgir de su interior: de su ya olvidada capacidad de expresar lo que sentía con palabras exactas y de un meticuloso ejercicio mental que le permitiera comprender las razones que habían empujado a un ser humano al que se suponía equilibrado a provocar tamaño desastre ecológico.

Y es que algunas de las piezas de la historia que contaba Salima Alzaidieri no encajaban.

No; a su modo de ver no encajaban en absoluto.

El retrato que había hecho de Gordon Sullivan se le antojaba demasiado romántico y casi edulcorado, puesto que nadie que él hubiera conocido sacrificaba trabajo, mujer, hijos y amante en aras de una hipotética salvación de los mares, las aves o los peces.

Nadie podía ser tan altruista y hasta cierto punto le molestaba pensar de ese modo, ya que el mero hecho de que él no se sintiera con el coraje suficiente como para lanzarse a una aventura tan arriesgada no significaba que otros no fueran capaces de intentarlo.

Hería su orgullo advertir que alguien como él, especializado en crear exóticos héroes imaginarios, se negara a aceptar que esos héroes formaran parte de la vida diaria, porque al fin y al cabo lo único que había conseguido como escritor era adornar y exagerar las hazañas de individuos que existieron o podían haber existido.

A lo largo de la historia habían nacido incontables seres humanos admirables, y lo que ahora estaba ocurriendo era sin duda un nuevo y trascendental capítulo de la historia.

Por primera vez desde que los homínidos comenzaron a degradar el planeta, se habían superado a sí mismos hasta el punto de que ni siquiera eran capaces de calibrar la magnitud de sus acciones.

«La naturaleza se volverá contra nosotros arrebatándonos cuanto nos ha dado hasta el presente —había advertido Sullivan—. El científico inglés Hoyle y el ruso Kalinko ya han adelantado que la Tierra se constituyó sobre una base de metales pesados e hidrocarburos, por lo que bajo nuestros pies se esconden veinte billones de toneladas de petróleo, suficientes para abastecer nuestras necesidades hasta el fin de los siglos, pero suficientes también para volatilizarnos.»

Según Sullivan, el hecho de que se estuviera perforando a diez mil metros y se aspirara a alcanzar cotas aún más profundas conllevaba el riesgo inasumible de que las bolsas de metano, sometidas a terribles presiones y asociadas a los yacimientos de petróleo, encontraran de pronto una vía de escape que los ingenieros nunca serían capaces de controlar.

El accidente de la Deepwater Horizon había provocado la mayor fuga de metano de que se tuviera noticias, y pese a que los técnicos de la BP juraban que estaban quemando casi un millón de metros cúbicos diarios, otros seiscientos mil permanecían en las profundidades, lo que reducía en un cuarenta por ciento el nivel de oxígeno del agua.

Liberado de su encierro, el metano, inodoro, inflamable y muy explosivo, se adueñaría primero de los mares, más tarde de la atmósfera, y a la larga aniquilaría cualquier forma de vida sobre el planeta.

Al igual que Salima Alzaidieri, Asdrúbal Valladares consideraba que aquél era un planteamiento en exceso pesimista, pese a lo cual aceptaba que las teorías de Hoyle y Kalinko debían de acercarse mucho más a la realidad que las de los científicos que preconizaban que habían sido grandes bosques o animales enterrados a gran profundidad los que habían acabado por transformarse en petróleo.

Si en el mejor de los casos un gigantesco árbol tan sólo produciría menos de un litro de crudo, ¿cuántos miles de millones de árboles tendrían que haber sido enterrados bajo el golfo de México para que sus yacimientos produjeran tan incalculable número de barriles?

El ser humano lograba sobrevivir sin comunismo, fascismo o democracia; también sobrevivía sin cristianismo, islamismo o judaísmo, y la inmensa mayoría subsistía incluso sin dinero, pero ningún ser viviente lograba salir adelante sin energía y en el fondo de los mares se encontraba el futuro de la energía. En la actualidad se estaba extrayendo casi la mitad del crudo y algo menos del gas, pero se calculaba que en una década se habrían de extraer las tres cuartas partes.

En los años setenta los famosos, y no por ello menos estúpidos, «sabios» del Club de Roma habían pontificado de forma inapelable que en el año 2004 no quedaría ni una gota de petróleo en el mundo, pero pese a que el consumo no había disminuido, sino que por el contrario se había multiplicado, el 2004 había quedado atrás y cada día se localizaban nuevos yacimientos.

Habían propagado a los cuatro vientos la falsa creencia de que se trataba de un recurso limitado con el único fin de aumentar los precios, pero cuarenta años después resultaba evidente que se trataba de una fabulosa impostura y podía darse el paradójico caso de que el auténtico peligro no llegara por carencia, sino por exceso.

«Si en estos momentos los peces y las aves se ahogan en petróleo, pronto también nos ahogaremos los seres humanos.»

Aquélla había sido la disculpa de Gordon Sullivan a la hora de justificar que iba a fingir un atentado en una plataforma de perforación, y al recordarla Salima Alzaidieri comentó:

—Él fue de los primeros en ahogarse en ese petróleo, por lo que si no actuamos pronto serán muchos los que acabarán de igual modo.

El colombiano regresaba con frecuencia al mar, se sumergía hasta que el bochornoso calor pasaba a convertirse en tiritera y se estrujaba el cerebro buscando las razones por las que una voz interior le gritaba que detrás de aquel «accidente» se ocultaba algo mucho más complejo.

Los medios de comunicación aseguraban que los desaparecidos eran operarios a los que la explosión había sorprendido en las dependencias interiores de la plataforma, por lo que no habían tenido tiempo de escapar del fuego y sus cuerpos descansaban a mil seiscientos metros de profundidad.

No obstante, las fotografías que estudiaba una y otra vez habían sido tomadas desde el exterior, prueba evidente de que el cadáver de quien en esos momentos tenía una cámara en la mano no se había hundido con la plataforma.

Puede que se tratase de un loco, un iluso o un soñador, pero no un estúpido que una vez iniciado el fuego decidiera meterse entre las llamas.

¿Cómo se explicaba que no se hubieran encontrado sus restos pese a que cientos de barcos y aviones rastrearon durante semanas hasta el último metro cuadrado en docenas de kilómetros a la redonda?

¿Tal vez se habían encontrado pero se ocultó su existencia?

Alguien mentía; en alguna parte, alguien mentía.

Cuando regresó de su corto viaje a la capital, Salima Alzaidieri se vio obligada a reconocer que aquéllas eran consideraciones que con frecuencia se había hecho a sí misma y para las que tampoco encontraba explicación alguna.

—La única respuesta que se me ocurre es que el Gobierno estadounidense prefiera achacarlo a un accidente que a un atentado —dijo, y su voz sonaba sincera—. Un atentado terrorista le proporcionaría a la BP un magnífico escudo tras el que protegerse y dejaría en muy mala situación a las agencias de seguridad.

—¿Y por qué no me lo has contado antes? —fue la lógica y en cierto modo agria pregunta.

—Porque quería que fueras tú quien te lo plantearas —replicó ella tuteándole por primera vez—. Me pareció la mejor forma de comprobar que empezabas a tener las ideas claras y llegabas a idénticas conclusiones.

—¿Acaso lo dudabas?

—¿Viendo la clase de vida que llevas? —inquirió ella en el tono de quien se encuentra descorazonado—. ¡Naturalmente! No necesito un loro que se limite a repetir lo que le cuento, sino una persona lo bastante inteligente como para razonar por sí sola.

—Me vas a resultar más lista de lo que creía.

—Casi nadie es tan listo como cree, ni tan estúpido como los demás creen —fue la respuesta—. Pero si he conseguido despertar al impertinente curioso que parecía ocultarse en cada uno de tus libros, voy por el buen camino. ¿Dónde supones que puede estar el cadáver de Gordon?

—¿O dónde supones que puede estar Gordon?

—¿Qué insinúas?

—Que empiezo a sospechar que lo que intentas averiguar no son las razones de un supuesto atentado, sino el paradero del hombre al que habías dedicado tu vida y que tal vez te haya estado utilizando.

—¿Utilizando para qué? —quiso saber la iraní, a la que se advertía evidentemente incómoda.

—Eso es lo que pretendemos descubrir si no me equivoco. —Asdrúbal Valladares señaló el montón de folios que se desparramaban sobre la rústica mesa y añadió, en el tono de quien empezaba a cansarse de un juego en el que se le ocultaban la mitad de las cartas—: He trabajado más durante estos diez días que durante los últimos diez años, me estoy dejando las pocas neuronas que me quedan en un agotador esfuerzo por dar a luz una novela apasionante, pero empiezo a tener la impresión de que acabaré pariendo un sapo. Y lo peor del caso es que ya no me queda ni para una maldita copa de «sangre de atún».

—Por si te sirve de algo te diré que la policía ha estado en mi casa.

La súbita e inesperada revelación tuvo la virtud de desconcertar a su interlocutor, que la observó como si intentara confirmar que lo que acababa de decir no era una nueva mentira.

—¿Quién te lo ha dicho? —inquirió al fin.

—Me he comprado un teléfono de prepago, de los que no se pueden rastrear, y he llamado a una vecina para averiguar si había visto a Gordon o si alguien había preguntado por mí. —No hacía faltar ser psicólogo para comprender que no mentía y que se la advertía preocupada por el inquietante rumbo que tomaba la situación—. Un hombre «que no le gustó nada» le estuvo haciendo preguntas sobre mí, por la noche Sandra se dio cuenta de que había movimiento en mi casa, que está justo al otro lado de la calle, y cuando avisó a la policía el intruso se escabulló por el jardín trasero, pero los agentes entraron y por lo visto lo pusieron todo patas arriba.

—¡Vaya por Dios! ¿Y qué piensas hacer ahora?

—Cualquier cosa menos volver a Houston.

6

Eugene Sanick hubiera sido un magnífico presidente, pero había conseguido la ciudadanía cuando superaba la treintena, por lo que siempre fue considerado un americano de segunda, un advenedizo bueno tan sólo para montar cierto tipo de empresas en su mayoría opacas, salvar otras de la quiebra o hacer ganar ingentes cantidades de dinero a cuantos confiaban en sus incontables habilidades.

Había quien aseguraba que era el único especulador que había evitado caer en las garras de Bernard Madoff, el mayor estafador de todos los tiempos, lo que le convertía en un mito en el agitado mundo de un tipo de finanzas que se movían casi siempre en los límites de la legalidad.

Y es que, a una inteligencia natural fuera de lo común, «€&$» unía una memoria que le permitía recordar nombres, rostros, paisajes, balances e incluso complejas fórmulas matemáticas con tanta facilidad como si las tuviera en todo momento ante sus ojos.

No resulta por ello exagerado señalar que se trataba de un admirado y controvertido magnate que se consideraba a sí mismo casi un apátrida, cuyos negocios abarcaban muy diferentes campos y que en algunos casos rozaba la genialidad y en otros lo delictivo.

Y que, por si ello no bastara, nunca se tomaba un minuto de descanso.

Siempre estaba comprando, vendiendo, estudiando, inventando o tramando algo, como si imaginara que por el hecho de no relajarse impedía que el tiempo se le escapara entre los dedos.

«Cada día que se pierde son en realidad dos días perdidos —le solía replicar a su esposa cuando le echaba en cara que nunca disfrutara de unas merecidas vacaciones—. El día durante el que no has hecho nada útil, y la utilidad de lo que podrías haber hecho durante ese día.»

A la larga, y tras la machacona insistencia de su idolatrada Georgia, optó por la decisión más práctica que le vino a la mente: aunar casa, trabajo y vacaciones en un portentoso palacio flotante que le convirtió en multimillonario trotamundos sin dejar por ello de hacer lo que en verdad le gustaba: ganar dinero.

Su barco surcaba todos los mares, atracaba en todos los puertos y fondeaba en todos los lugares de moda, hasta el punto de que en ciertos medios de la sofisticada jet-set internacional se consideraba que si una determinada ciudad, isla o playa no era frecuentada por el gigantesco €&$, no merecía ser tenida en cuenta.

Y la «temporada» de las zonas auténticamente *in* llegaba a su cenit cuando la enloquecida, divertida y excéntrica Georgia Wallis de Sanick celebraba su famosa «Las tres noches del *Titanic*», una macrofiesta animada por las mejores orquestas y cantantes del mundo del espectáculo.

Cada una de las cenas era preparada por un chef de un país diferente que debía estar en posesión de al menos dos estrellas Michelin y la última noche, a las doce menos veinte en punto, hora a la que el famoso transatlántico había chocado fatalmente contra un iceberg, se aproximaba al yate una gabarra recubierta de hielo en cuyo centro destacaba el último modelo de Rolls-Royce con un enorme oso de peluche al volante que acababa siendo sorteado entre sus muy distinguidos huéspedes.

«Las tres noches del *Titanic*» se celebraban por el mero hecho de que el transatlántico se había llevado consigo a las profundidades a un asqueroso morfinómano, alcohólico, jugador, manirroto y mujeriego, con lo que había evitado que dilapidara en poco tiempo el ingente patrimonio familiar.

Su infeliz, maltratada, humillada y embarazada esposa debió de ser el único testigo del naufragio que en cierto modo se alegró al ver como el océano se tragaba el imponente transatlántico arrastrando al fondo de las frías aguas a su aborrecido verdugo. Ello le permitió casarse años más tarde con un encantador hotelero cubano, con el que disfrutó de la felicidad que no había tenido nunca hasta la llegada del castrismo, lo que les obligó a trasladarse a California, donde acabaría naciendo Georgia.

Tras la muerte de su esposa, Eugene Sanick llegó a la conclusión de que poco tenía en común con la inmensa pléyade de ocasionales «amigos» que coleccionaran a lo largo y ancho del planeta, a los que se había limitado a aceptar como uno de los tantos caprichos de alguien a quien jamás supo negarle nada, por lo que casi no volvió a poner los pies en tierra firme, sumido en un dolor del que jamás sería capaz de liberarse.

Permaneció flotando a la deriva hasta que abrigó el convencimiento de que la «Cúpula», ¡su «Cúpula»!, comenzaba a agrietarse, amenazaba con derrumbarse, y uno de los responsables era al propio tiempo el deleznable culpable de la caída en desgracia del único hombre al que había admirado y respetado a lo largo de su vida.

Georgia habría sido de la opinión de que no valía la pena ni resultaba prudente poner en juego su felicidad enfrentándose a un enemigo tan poderoso, pero ya no existía felicidad alguna en juego y la noticia de la liberación del terrorista libio le había impulsado a lanzarse a una nueva guerra.

Recordaba el viejo dicho: «La importancia de nuestro enemigo es la que determina nuestra propia importancia», y no era de los que se resignaban a morir sin demostrarse a sí mismos que eran capaces de afrontar cualquier reto con el mismo vigor que cuando tenían veinte años.

Sin una Georgia que le tirara de las riendas, se desbocaba feliz ante la idea de precipitarse al vacío pronunciando su nombre, porque el viudo de una de las mujeres más disparatadamente admirables que habían existido tenía la obligación de ser digno heredero de su absurda forma de concebir la existencia.

Durante los años que duró su matrimonio se había olvidado de mentir, engañar, estafar, robar e incluso ordenar que eliminasen a quien se interpusiera en su camino, debido a que Georgia era una fiesta, un carrusel, un torbellino, o más bien un tornado que le absorbía y le obligaba a girar a su alrededor sin pensar en nada que no estuviera relacionado con ella.

Nunca podía evitar sonreír al recordar el día en que se encontraba negociando con unos ceremoniosos inversores japoneses y de improviso aquella imprevisible descarada abrió la puerta de la sala de reuniones, se plantó en jarras en el quicio luciendo un salto de cama transparente y le espetó con absoluto desparpajo:

—¡Escúchame bien, osito de peluche! Llevas cinco horas comprando y vendiendo empresas que no necesitas mientras yo estoy necesitando un buen revolcón, o sea, que o dejas de jugar al Monopoly o me lo monto con el cocinero que prepara unas «almejas al vino blanco con reducción de vinagre de manzana y un toque de albahaca» que se mea la burra.

Hacía con ello clara referencia al plato que les habían recomendado como especialidad de la casa la primera noche que cenaron juntos, y a lo que ella había respondido con su descaro habitual:

—Confío en que te gusten las almejas, porque de lo contrario conmigo lo vas a tener muy crudo.

No recordaba haberse ruborizado nunca antes, y cuando el *maître* les dejó a solas comentó:

—No puedes hablar así ante desconocidos.

—¡No te preocupes, cielo! —le respondió sin inmutarse—. Pierre no es un desconocido; suelo cenar aquí dos veces por semana y conoce mis gustos.

—¡Me abochornas!

—¡No seas ridículo! —Georgia le acarició la mano, por lo que sintió como si hubiera recibido una descarga de mil voltios, y mostrando la más seductora de sus sonrisas añadió—: Si pretendes tener relaciones con una chica que lo tiene absolutamente todo, no te queda más remedio que aceptarla como es, en lo bueno, en lo malo, la salud, la enfermedad y todas esas zarandajas. —Continuó hablando sin importarle que un joven camarero hubiera comenzado a llenarles las copas y que a punto estuviera de derramar el vino al escuchar—: Yo apenas fumo, no me drogo, nunca me emborracho y no me gustan los machotes que van haciendo exhibición de «paquete» y que te tiran sobre la cama abriéndote de piernas y zarandeándote de arriba abajo o de atrás adelante como si estuvieran agitando una coctelera. —Alzó el rostro y le guiñó un ojo al azorado muchacho—. ¡Gracias, hijo! Puedes irte, porque lo que sigue no es apto para menores. —En cuanto se hubo alejado, continuó—: En lo que a mí respecta, si el tipo está extraordinariamente bien dotado, a veces, ¡sólo a veces!, consigue arrastrarme hasta la meta y entonces es como si se cayera una botella y todo lo que contiene se derramara. ¿Te gusta la metáfora?

—Muy acertada.

—Pero personalmente no me agrada que el buen vino se derrame; prefiero tomármelo sorbo a sorbo, sintiendo cómo el placer se prolonga durante mucho tiempo si quien lo sirve tiene tacto, habilidad, paciencia y una lengua incansable. ¿Me explico?

—Con absoluta claridad —se vio obligado a reconocer quien estaba temiendo que cualquier miembro del personal se aproximara lo suficiente como para escuchar tan cruda y desvergonzada confesión.

—Me alegra, porque según el conocido dicho, mil veces repetido pero no por ello menos cierto, para que una chica como yo encuentre pareja su pretendiente ha de tener *chic,* y no cabe duda de que tú lo tienes; *check*, es decir, tanto dinero que nunca pueda pensar que te intereso porque heredé una fortuna de mi madre y otra de mi encantador pero ya difunto esposo. Y por si eso fuera poco soy hija única de alguien que está casi tan forrado como tú. —Ahora sí tuvo la delicadeza de aguardar a que el camarero sirviera los platos y se retirara antes añadir—: Y en tercer lugar, pero no por ello menos importante, es imprescindible que me haga *shock*, es decir, que me haga disfrutar en la cama, y conociendo mis gustos tan sólo importan la voluntad y la técnica. —Comenzó a devorar almejas con sorprendente apetito, aunque alzó un instante el tenedor como si hubiera olvidado algo al insistir—: Y tiene la gran ventaja de que te ahorras una pasta gansa en viagra.

—¡Confieso que una vez más me has dejado de piedra! —no pudo por menos que aceptar un anonadado Eugene Sanick.

—En ese caso te compro; las piedras son mi debilidad.

—¿Y para qué las quieres?

—¡Querido! Tal como tú mismo dijiste, eso tan sólo lo sabrás el día que celebremos nuestras bodas de plata.

7

—¿Qué te trajo hasta aquí?

—La *Santa María.* —Al advertir su gesto de sorpresa, añadió a modo de aclaración—: La nao capitana de Colón.

—Sabía que eras viejo pero no tanto.

—¡Buena respuesta! Pero lo cierto es que no me trajo, vine en su busca.

Tomaban café en el porche, permitiendo que una ligerísima brisa les refrescara las ideas tras una ardua jornada de trabajo, puesto que a aquellas horas de bochorno la vetusta casucha resultaba prácticamente inhabitable.

Indicando un punto de la costa en dirección oeste, Asdrúbal Valladares especificó:

—A unos cuarenta kilómetros de aquel promontorio, ya en territorio haitiano, fue donde una noche encalló la *Santa María,* por lo que Colón decidió construir con sus restos un fuerte en el que dejó una guarnición de treinta y seis hombres.

—¿Y qué le indujo a llevar a cabo semejante locura? —quiso saber Salima Alzaidieri—. ¡Abandonarlos en una isla desconocida de un nuevo mundo a miles de kilómetros de sus casas!

—Alegó que no cabían en los otros barcos, aunque hay quien afirma que en realidad lo que pretendía era que los Reyes Católicos no se negaran a financiar una segunda expedición, ya que en la primera no había encontrado oro ni nada que por aquel entonces pudiera considerarse de auténtico valor.

—¿Y volvió?

—Para enfrentarse al hecho de que los nativos habían arrasado el fuerte masacrando a sus ocupantes... —El colombiano hizo una pausa mientras se abanicaba con un viejo y deshilachado paipay de paja—. No sobrevivió ni uno y se sospecha que a algunos los asaron vivos y se los comieron los caribes, que eran una raza de caníbales que solían atacar estas costas llegando desde las Antillas.

—¿Y todo eso qué tiene que ver contigo, y con el hecho de que acabaras viviendo en este horno de panadero?

—En que un maldito día me asaltó la tentación de escribir una novela acerca de lo que debieron de sentir aquellos infelices al comprender que si no conseguían defender el fuerte acabarían siendo devorados, y como por aquel tiempo había conocido a una preciosa muchacha ansiosa de vivir aventuras, decidimos visitar el lugar en el que se había instalado el fuerte e intentar encontrar algún resto de la carabela.

—¿Encontrar restos de una carabela quinientos años después de haber naufragado? —se asombró la iraní—. No cabe duda de que ya empezabas a estar mal de la cabeza.

El escritor se puso en pie, penetró en la casa y regresó con un pedazo de madera curvo en uno de cuyos extremos se distinguía un clavo herrumbroso y que lanzó casi despectivamente sobre la mesa.

—Para que te enteres, a las dos semanas de excavar lo desenterramos a tres metros de profundidad. Es de una variedad de pino mediterráneo que aquí no existe, la forma indica que se trata de la cuaderna de una nave de tamaño medio, y el clavo es de los que utilizaban los astilleros españoles de la época —concluyó con un tono de innegable orgullo.

—A veces calladita estoy más guapa... —admitió ella mientras examinaba con atención lo que evidentemente parecía el resto de un naufragio—. Mis sinceras disculpas.

—Lógicamente semejante hallazgo nos fascinó, pero como en Haití no nos sentíamos seguros decidimos instalarnos aquí, yendo y viniendo un par de veces por semana. —Regresó al interior de la casa con el fin de volver a colgar el trozo de madera en la pared en que había estado siempre y cuando se acomodó de nuevo en su butaca, añadió casi con un lamento—: Por desgracia no volvimos a encontrar nada de valor.

—¿Y la novela? —quiso saber ella—. No recuerdo haber leído nada tuyo sobre la época del descubrimiento...

—Cuanta más cuenta me daba de que estaba escribiendo una mierda más afecto le tomaba a la «sangre de atún».

—¡Mala afición es ésa!

—De las peores, supongo, porque una buena mañana descubrí que Ágata se había largado llevándose el ordenador, la cámara de fotos y todo cuanto tenía algún valor. Me dejó, eso sí, una cariñosa nota de aliento: «Anda y que te den...»

—Algo le harías —arguyó la iraní.

—No se trata de lo que hice, sino de lo que no hice

—admitió el otro con encomiable sinceridad—. Era una bella jovencita alegre y soñadora que vino a una isla exótica en busca de aventuras, sexo y una apasionante novela que estaría dedicada a ella por un famoso escritor al que había admirado desde la adolescencia, pero acabó soportando los malos olores y limpiando los vómitos de un viejo borracho y pedorro.

—Supongo que yo en su lugar hubiera hecho lo mismo.

—¡Lógico...! Y no le guardo rencor, porque en el fondo me sentí liberado; con el ordenador se llevó el original de aquella basura que cada día me saltaba a los ojos haciéndome comprender que estaba acabado; una cosa es presentir el fracaso y otra descubrirlo en cada frase que has escrito.

—Lo que estás escribiendo ahora es bueno... —le hizo notar ella.

—Nada de lo que se escribe es bueno; es bueno lo que se lee.

Su interlocutora le observó de reojo con una burlona sonrisa y se sirvió una nueva taza de café antes de suplicar:

—Unas gotas de sencilla aclaración, si no te importa.

—La mejor frase leída en un momento inoportuno se transforma en una rotunda estupidez, mientras que una rotunda estupidez puede tocar el corazón de un lector cuando su estado de ánimo es el apropiado. Éste es un jodido oficio en el que no importa lo que grites, sino el eco que devuelven las montañas; es como la diferencia entre jugar al frontón o al tenis.

—Otra gotita aclaratoria, por favor...

—Si lanzas una frase, una idea o una palabra y la pared del frontón te la devuelve con un golpe seco y una trayectoria previsible, has fracasado. Pero si lanzas la misma idea, frase o palabra y consigues que quien se encuentra al otro lado de la red reaccione, corra, sude, salte, ría o se esfuerce por devolver la pelota, has conseguido un éxito.

—Curioso punto de vista.

—Fruto de la experiencia: por eso en cuanto comprendí que una de mis mejores lectoras, la propia Ágata, se había convertido en la pared del frontón, supe que mi tiempo como escritor había acabado.

—¿Estabas muy enamorado? —quiso saber la iraní.

—¿De quién? ¿De Ágata? —Su interlocutor no pudo por menos que permitir que se le escapara una corta carcajada en la que evidentemente se burlaba de sí mismo—. ¡Oh, vamos, qué poco sabes de hombres! —exclamó—. Cuando alguien como yo se va a vivir con una muchacha a la que dobla en edad, no está enamorado de ella; está enamorado del hecho de que ella esté enamorada de él.

—¿Y realmente lo estaba?

—Supongo que lo estuvo durante el corto tiempo que duran esa clase de pasiones, y que suele ser el mismo que se tarda en descubrir que el supuesto héroe poco tiene que ver con un héroe auténtico.

—¿Y eso por qué? —quiso saber Salima Alzaidieri un tanto irritada—. ¿Por qué maldita razón un héroe nunca resulta como lo habíamos imaginado?

—Porque para convertirse en héroe basta con un oportuno minuto de gloria, querida, mientras que una hora tiene sesenta minutos, un día veinticuatro horas y un año tantos putos minutos que nadie lo soporta armado con un casco, una lanza y una coraza. ¡Entiéndelo! A los héroes no los matan los malos; los mata la cotidianeidad.

La mujer de los inmensos ojos negros permaneció en silencio largo rato, observando la quieta ensenada en la que ni las aves se movían, aplastadas por el enervante calor. Se habría dicho que su mente se encontraba muy lejos de aquella playa y aquella isla y casi con esfuerzo murmuró:

—A mi héroe no lo mató la cotidianeidad: lo mataron los malos.

—Si es que está muerto... —apuntó él con marcada mala intención.

—Me duele que lo dudes.

—Mi obligación es dudar de cada frase e incluso de cada coma que escribo, o sea, que no te digo nada con respecto a las ideas o los hechos; si no mantengo abiertas todas las ventanas, nunca podré ver todo el paisaje.

Ella volvió a tomarse un tiempo para meditar; dudaba acerca de la conveniencia o no de lo que iba a decir, pero al fin se decidió:

—No quería preocuparte con algo que tal vez no esté relacionado con el tema, pero esta mañana he telefoneado a un amigo y colaborador de Gordon para intentar averiguar si tenía alguna noticia sobre lo ocurrido en la plataforma. —Hizo una dramática pausa antes de señalar—: Se ha suicidado.

—¿Cómo y por qué...?

—Su mujer no me lo ha dicho.

—¿Qué tenía que ver con Gordon y hasta qué punto «colaboraban»? —quiso saber Asdrúbal Valladares, al que ciertamente le inquietaba la noticia—. ¿Estaba metido de algún modo en el tema del atentado?

—Es posible, pero no estoy segura.

—¿Qué respuesta es ésa? «Es posible», «no estoy segura»... —No era necesario prestar mucha atención para comprender que el colombiano comenzaba a sentirse molesto—. Convives durante años con un hombre que va a provocar una descomunal catástrofe medioambiental, ¿y eso es todo lo que me puedes contar sobre él?

—Gordon aseguraba que cuanto menos supiera, mejor.

—Si quieres que te sea sincero, no sé quién me inspira menos confianza —refunfuñó su interlocutor mientras se ponía bruscamente en pie y se encaminaba a la playa—. Si el maldito Gordon o tú.

No podía negarse que su dura afirmación era ofensiva, pero respondía a las serias dudas que el escritor experimentaba con respecto a una historia que cada día le atraía más, pero cada noche le sumía en un mar de preguntas sin respuesta.

Desde que consiguiera conectarse a la red de internet había acumulado una ingente información sobre cuanto se refería al accidente de la Deepwater Horizon, pero entre tal cúmulo de prolijos documentos no había encontrado ni uno solo que mencionara la más remota posibilidad de que se tratara de un atentado.

¡Nada! ¡Ni tan siquiera una palabra!

Le había sorprendido, eso sí, que en algunas de las fotografías que circulaban por la red se advertía que en el momento en que la gigantesca mole se inclinaba y comenzaba a hundirse envuelta en llamas, en uno de sus extremos se distinguía una figura humana aferrada a una escalera metálica.

¿Quién era aquel hombre y qué hacía a casi cien metros de altura sobre el nivel del mar?

¿Había conseguido salvarse o se había hundido con la plataforma?

¿Era uno de los operarios fallecidos o podría tratarse del maldito Gordon Sullivan de los cojones?

Asdrúbal Valladares empezaba a tener la amarga sensación de que nadaba sin rumbo en unas aguas cubiertas de una espesa capa de petróleo y que cuanto escribía tan sólo constituía un reflejo del disparatado caos en que se había convertido su vida.

¿En qué cabeza cabía que un fracasado que malvivía en el confín del mundo, debía tres meses de alquiler y se había gastado cuanto le quedaba en un ordenador de bajo coste en el que apenas conseguía distinguir los signos de cada tecla, estuviera en condiciones de escribir una buena novela teniendo como base un problema tan complejo?

Incluso Cervantes lo había tenido más fácil, puesto que pese a contar con una sola mano y una pluma de ave, su imaginación era libre de vagar permitiéndole describir castillos, gigantes o molinos sin necesidad de ajustarse a una realidad que admitía distintas interpretaciones.

Sin embargo, él no podía permitir que su imaginación superara ciertos límites debido a que los muertos estaban absolutamente muertos, la plataforma hundida descansaba en un fondo de mil seiscientos metros y una extensión de mar casi tan grande como Jamaica se había cubierto de petróleo.

Aquello eran «hechos» y sabía mejor que nadie que a la hora de escribir una novela ciertos hechos encorsetaban a quien se veía obligado a circular por la estrecha frontera que separaba la realidad de la ficción.

Como persona empezaba a sospechar que la catástrofe no se debía a un simple accidente atribuible a la desbordada avaricia de unos pocos o ineptitud de otros muchos, pero como escritor tenía la obligación de justificar las razones de dicho convencimiento.

En un ya lejano pasado debió esforzarse a la hora de aclarar a algún periodista que existía una gran diferencia entre el autor y el libro, al igual que existía entre el pintor y el cuadro, y que la habilidad del buen escritor estribaba en ser capaz de conseguir que sus personajes defendieran con argumentos válidos actitudes o ideologías que como persona detestaba.

Crear un monstruo costaba menos esfuerzo imaginativo que crear un ángel y tal vez por ello en la historia de la literatura se prodigaban menos los ángeles que los monstruos.

—¡Tu editora al teléfono!

El aire le secó antes de que llegara al porche y en el momento en que tomó el aparato de manos de la iraní tuvo plena conciencia de que su futuro dependía de aquella llamada.

—He leído lo que me has enviado. —La voz sonaba seca y sin la amistosa calidez de antaño—. ¿Es cierto eso que cuentas sobre las consecuencias políticas, ecológicas y económicas que traerá aparejada esa catástrofe?

—Hasta donde yo sé, lo es.

—Esa parte me gusta; el resto se me antoja confuso, pero quiero suponer que lo aclararás a medida que la novela avance. —La muy retorcida hizo una larga pausa como si estuviera regodeándose al imaginar el mal rato que le obligaba a pasar antes de añadir—: Si te comprometes a entregármela en septiembre, me la quedo; en caso contrario olvídame, porque te conozco y me consta que eres capaz de dejarme colgada una vez más.

—La tendrás a tiempo, pero necesito dinero.

—Te adelantaré cuarenta mil dólares, pero el contrato especificará que si no está lista en la fecha prevista, me quedo con los derechos de todos tus títulos por un periodo de veinte años.

—Sigues siendo una maldita sanguijuela —le espetó él.

Se escuchó una corta carcajada que más parecía de satisfacción que de alegría.

—Cuando se trabaja con vagos y mujeriegos, no queda otro remedio, pequeño; la experiencia me ha enseñado que o te aprieto las tuercas o te dejas las ruedas en el camino. Y procura acertar, porque si no recupero de inmediato ese adelanto, te veo pidiendo en una esquina.

—¡Bruja...!

—¡A mucha honra! Te envío el contrato y en cuanto me lo devuelvas firmado, te ingreso el dinero... —De nuevo hizo una pausa cambiando el tono—. Ahora en serio, querido —dijo—. El material es muy prometedor y si te lo propones y trabajas en serio, puedes escribir un libro excelente.

En cuanto Salima Alzaidieri advirtió que había colgado, inquirió, ansiosa:

—¿Qué te ha dicho?

—Que voy a poder arreglar el coche, comprar colchones nuevos y adecentar la habitación de invitados para que te instales en ella.

—¡Ni lo sueñes! —protestó la iraní visiblemente alterada—. No estoy dispuesta a pasar ni una sola noche sudando como un cerdo en ese cuchitril que tan pomposamente denominas «habitación de invitados».

—Te compraré un ventilador y, presta mucha atención, preciosa —fue la dura advertencia—. Alguien te anda buscando, no creo que sea para proponerte matrimonio, y en algún lugar existe constancia de que te encuentras en la República Dominicana, donde has alquilado un coche y te hospedas en un hotel que tiene la obligación de registrar a todos sus huéspedes. O sea, que por tu seguridad y la mía vas a devolver ese coche y dejar ese hotel.

El dinero llegó con puntualidad, por lo que pudo reparar el coche y comprar dos colchones y un ventilador, pese a lo cual Salima Alzaidieri se negó a mudarse a la habitación de invitados hasta que no hubiera sido concienzudamente desinfectada, desinsectada y pintada de amarillo.

La mesa, una silla, una lámpara de pie y dos coloridos cuadros naíf haitianos los pagó de su bolsillo el día en que fueron a la capital a devolver el coche que había alquilado.

El regreso se convirtió en una auténtica odisea, con la mesa y la silla dando tumbos sobre el techo del destartalado vehículo mientras recorrían a paso de tortuga unas sinuosas carreteras a las que las réplicas del terremoto que había casi destruido la vecina Haití, así como la última gran tormenta, habían dejado poco menos que intransitables.

—Si siempre conduces así y éste era vuestro coche, no me extraña que tu amiga Ágata se largara —no pudo por menos que comentar la iraní en un momento dado—. Lo extraño es que se quedara una semana.

—Casi siempre conducía ella y corría como una loca... —fue la respuesta de quien no apartaba la vista de los baches y trampas del camino—. Pasé más miedo a su lado que en todas las guerras en que participé.

—¿Participaste o fuiste testigo?

—Fui testigo —admitió sin el menor reparo Asdrúbal Valladares—. Tan sólo una vez empuñé una pistola y casi me vuelo un pie.

—Tenía entendido que los colombianos erais tipos audaces y muy aficionados a las armas —comentó ella.

—Pregúntaselo a los miles a los que han acribillado a balazos o volado por los aires durante los últimos veinte años.

—O sea, que si intentan matarme, ¿no debo confiar en que me defiendas?

—¡Júralo! Y como sigas diciendo tonterías les echaré una mano.

—Bueno es saberlo. —La iraní aguardó hasta que alcanzaron una parte menos peligrosa del camino, momento en el que comentó—: Me ha gustado mucho el último capítulo.

—Pues tal vez sea realmente el último, porque o me cuentas algo más o se me está acabando la cabuya.

—¿Qué es eso?

—Una cuerda. —La miró de reojo, puesto que continuaba sin fiarse de la carretera, al inquirir—: ¿Nunca advertiste nada raro en Gordon? ¿Nunca hubo un detalle que te sorprendiera?

—¿Con respecto a qué?

—¿Y yo qué sé? —se impacientó el escritor—. Si digo «algo raro», quiero decir «raro», y por lo tanto no puedo saber a qué demonios me estoy refiriendo con exactitud.

Salima Alzaidieri permaneció varios kilómetros con la mirada perdida en la distancia, como si se esforzara en evocar acontecimientos que habían quedado muy atrás, y tras un leve encogimiento de hombros señaló sin demasiada convicción:

—Una vez me desconcertó porque me había pedido que le acompañara a Galveston alegando que tenía una importante reunión de trabajo, pero no me pareció que hubiera en todo Galveston ninguna otra «autoridad del paro». Por la mañana fuimos a dar un paseo por el puerto y en el centro de la bahía se encontraba fondeado un yate precioso. Después de comer me dejó en el hotel, estuvo fuera hasta el anochecer y al volver dejó sobre la mesa un bolígrafo de plata con el anagrama de la bandera de aquel barco. Le pregunté si la reunión de las «autoridades del paro» había tenido lugar a bordo y si por dentro el yate era igual de espectacular, pero me respondió de mala manera, cosa poco habitual en él, y durante el viaje de regreso lo advertí muy nervioso.

—¿Cómo se llamaba el yate?

—*Panamá.*

—¡No digas tonterías! *Panamá* nunca es el nombre de un barco, sino del país en que se matriculan porque apenas se pagan impuestos.

—Pues es lo que ponía en la popa.

—¡Natural! Es obligatorio, pero pondría algo más encima.

—Que yo recuerde el mismo anagrama de la bandera y el bolígrafo.

—¿Y cómo era?

—Raro. —La mujer de los inmensos ojos negros sonrió con picardía al añadir—: ¿Es lo que necesitas para el libro, no es cierto? «Algo raro.»

—¡Bonita ayuda! —masculló su acompañante en tono despectivo—. A este paso me veo escribiendo una novela pornográfica.

—Pues en eso no pienso colaborar. —La iraní hizo una pausa para añadir en tono conciliador—: Pero si crees que lo del barco es importante, intentaré recordar algo más.

—No es que lo crea, querida; es que ya no tengo nada más sobre lo que escribir, y si no entrego a tiempo una novela que recupere ese maldito adelanto, Braulia me pone en la calle y le alquila la casa a la jodida gringa de los perros.

—Lo siento; te he contado todo lo que recuerdo.

—Tu compasión ya no me sirve —replicó el colombiano con acritud—. Me enredaste con esas dichosas fotos, pero sospecho que desde el día en que llegaste a la conclusión de que Gordon te había tomado el pelo con una ridícula historia sobre sacrificios ecológicos pareces haberte quedado sin argumentos. —Lanzó un malhumorado resoplido al concluir—: ¡Y si a ti se te han acabado, imagínate a mí!

Guardó silencio, atento a evitar los baches, pero, en el momento en que coronaron un repecho y se distinguió a lo lejos la línea del mar, detuvo el vehículo y comenzó a palmearse la frente.

—¡Estúpido! —repetía una y otra vez—. ¡Estúpido, estúpido, estúpido!

—¿Qué te ocurre...? —se alarmó su acompañante.

—¡Las fotos! —le respondió.

—¿Qué les pasa a las fotos?

—¡Que las fotos que te envió Gordon no se mueven, coño! ¡No se mueven!

—¿Y qué quieres decir con eso? —inquirió ella.

—Que si alguien está haciendo una fotografía y de pronto sobreviene una explosión, lo lógico es que las manos le tiemblen, se le muevan las piernas o cambie el enfoque, aunque tan sólo sea unos centímetros. Nadie consigue tres fotografías absolutamente idénticas a no ser que la cámara esté colocada sobre un trípode o muy bien sujeta a algo. —Asdrúbal Valladares se entretuvo en hacerle a su compañera de viaje varias fotos imaginarias al añadir—: Si tienes la cámara en la mano, cada vez que dispares enfocarás un poco más arriba, más abajo, a un lado o a otro, pero si la has dejado sujeta y la disparas por control remoto, el punto de vista siempre será exactamente el mismo. —Le guiñó un ojo al tiempo que golpeaba el volante del vehículo—: Ahora sí que estoy seguro de que tu adorado Gordon no estaba haciendo esas fotos en el momento del atentado.

—Si no estaba allí, ¿dónde estaba?

—Ésa es la pregunta por la que habrá valido la pena que me paguen cuarenta mil dólares, querida.

8

En cuanto cayó la noche cuatro hombres penetraron casi a hurtadillas en un inmenso garaje en cuatro vehículos diferentes, aparcando en cuatro niveles diferentes, porque cada uno de ellos pertenecía a un país diferente, habían llegado a Nueva York en un vuelo diferente y de igual modo accedieron al último piso en un ascensor diferente.

Se saludaron intercambiando un cortés apretón de manos y casi sin palabras, puesto que, pese a que llevaban años reuniéndose cada semana en el mismo lugar, ninguno de ellos conocía el nombre de los otros tres.

De inmediato cada cual ocupó su lugar en torno a una mesa cuadrada y se apresuraron a abrir los ordenadores que tenían delante, que en primer lugar les pusieron en antecedentes de que por desgracia sus órdenes se estaban cumpliendo con un cierto retraso debido a que, pese a que el encargado de ejecutarlas se esforzaba al máximo, tanto Gordon Sullivan como su amante se encontraban de momento en paradero desconocido, probablemente en Sudamérica.

El de mayor edad de los cuatro demostró de forma expresiva su disgusto recalcando que no era momento de desidias, dado que le habían informado de que un grupo de científicos aseguraba que el fondo marino del Golfo se encontraba seriamente fracturado, por lo que el mundo debía prepararse para un desastre de proporciones inimaginables. Al parecer, grandes volúmenes de petróleo emergerían por tiempo indefinido a través de anchas grietas que se podrían haber producido como consecuencia del terremoto que había arrasado Haití.

Mientras los cuatro hombres intercambiaban información, una mujer les observaba a través de un potente telescopio, y pese a que casi no distinguía sus facciones y le hubiera resultado imposible reconocer a ninguno de ellos aunque se hubiera encontrado con él a tres metros de distancia, tal detalle parecía no importarle.

Llevaba cinco días encerrada en una diminuta e incómoda habitación de hotel, aguardando a que al fin, y tal como le habían indicado que pronto o tarde ocurriría, las luces del último piso del edificio que se alzaba a tres manzanas de distancia acabaran por encenderse.

Al fin lo habían hecho y no le cabía la menor duda de que eran cuatro los hombres que ocupaban la estancia.

En sus instrucciones no figuraba que uno de ellos fuera negro.

Y precisamente era el que pocos minutos después intentaba convencer a sus compañeros de que debían oponerse a quienes aseguraban que la mejor forma de cerrar el pozo de la Deepwater Horizon era por medio de una explosión atómica controlada, tal como ya habían hecho los rusos en cinco ocasiones.

—Las explosiones de control de vertido rusas se han producido en tierra firme, mientras que ahora el problema se encuentra en el fondo del mar, donde la geología hay que mirarla como en un espejo —alegaba—. Los fondos del Golfo son en un principio muy poco profundos, pero a unos sesenta kilómetros de la costa descienden bruscamente formando una especie de anfiteatro constituido por un intrincado entramado de valles, montañas, mesetas y gargantas. La boca de ese pozo se encuentra a mil seiscientos metros de profundidad debido a que los ingleses iniciaron su perforación en la parte más baja de una de esas depresiones con el fin de alcanzar cuanto antes el nivel productivo del yacimiento.

—Parece lógico —señaló quien se sentaba a su derecha.

—Y lo es desde el punto de vista del ahorro de tiempo y dinero, pero ello trae aparejado que por el hecho de situarse a semejante profundidad se encuentra rodeado de montañas submarinas. Si en un punto tan cerrado se provoca una explosión nuclear que multiplicaría brutalmente su potencia a causa de la mayor densidad del agua, sus efectos serían diabólicamente destructivos, parte de las laderas de esas montañas acabarían por derrumbarse y un fondo marino ya muy resquebrajado podría saltar en pedazos.

Podría creerse que, mientras le escuchaban, sus compañeros de mesa no podían evitar hacerse mentalmente una serie de inquietantes preguntas:

¿Cuántas de las tres mil plataformas de extracción o bombeo que jalonaban la costa del Golfo se incendiarían a causa de una gigantesca detonación cuya onda expansiva se multiplicaría de forma harto notable por el hecho de ocurrir en el fondo del mar?

¿Resistirían el impacto los cincuenta mil kilómetros de oleoductos que extraían diariamente el crudo o el gas de miles de pozos perforados a tan inquietante profundidad?

¿Qué inmensa cantidad de seres vivos reventarían y aparecerían flotando panza arriba tal como sucedía cuando se pescaba con dinamita?

Y la esencia del problema no estribaba en que se tratara de un panorama ciertamente desolador, sino que provocaría una nueva moratoria en los permisos de perforación del Golfo, influyendo en que otros países decidieran imponer idénticas restricciones.

Y si se imponían tales restricciones, el precio del petróleo se dispararía, provocando una nueva crisis energética mundial.

Fue en esos momentos cuando la mujer que les observaba desde lejos consideró que había llegado el momento de actuar, por lo que se limitó a marcar un número de teléfono.

Esperó un par de minutos y marcó otro.

El primero abrió la espita de una botella de gas que se encontraba oculta, desde hacía casi veinte años, en un diminuto cubículo del penúltimo piso del edificio.

El segundo abrió la llave que permitía que el gas letal se inyectara directamente en el conducto de aire acondicionado del piso superior.

La mujer aún permaneció unos veinte minutos a la expectativa, hasta que abrigó el absoluto convencimiento de que ninguno de los ocupantes de la sala movía un solo músculo.

Marcó un nuevo número, ahora aguardó respuesta y señaló:

—¡Hola, mi amor! Esos cuatro pajarracos se han quedado fritos para siempre y ya puedes venir a buscarme.

Tan sólo entonces recogió sus cosas y desapareció, por lo que en el momento en que su fiel y siempre impasible secretario, Dan Kosinsky, notificó a Eugene Sanick que los miembros de la «Cúpula» habían sido definitivamente eliminados, éste se limitó a comentar:

—Buen trabajo, aunque si quieres que te sea sincero no estaba seguro de que el gas de esa botella se hubiera mantenido estable y activo durante tanto tiempo. ¿Algo más?

—La British Petroleum acaba de anunciar que Tony Hayward será sustituido por un americano.

—Una gran noticia, aunque ya la esperaba; los errores de ese cursi que siempre parece estar oliendo mierda no sólo le han costado a BP treinta mil millones y que sus acciones se coticen a la mitad de su valor, sino la vergüenza para una compañía tan rabiosamente nacionalista de tener que nombrar a un director general que no provenga del más rancio abolengo de la City.

—Duro golpe para su orgullo de antiguo imperio, sin duda.

—¡Y tan duro! Ocúpate de que un guapo muchachito le lleve a lord Browne una caja de champán. —El propietario de uno de los yates más admirados del mundo lanzó un hondo suspiro de satisfacción antes de pasar a otro tema e inquirir—: ¿Qué se sabe de Bob Johnson?

—Lo andan buscando, pero aún no hemos conseguido dar con él ni tenemos noticias de que haya participado en ningún campeonato durante estas últimas semanas.

—Normal si se dedica a volarle la cabeza a la gente en las playas de Luisiana o a colarse en casas ajenas. Procura arreglar ese asunto cuanto antes —ordenó en un tono que no daba pie a la menor objeción—. Fui yo quien le eligió para este trabajo, por lo que me consta que es muy listo, muy frío, muy calculador y el único que lleva tanto tiempo en la organización que podría atar cabos y ponernos en peligro.

—¿Quiere que se lo encargue también a los Bocco? Hasta ahora lo han hecho bien.

—¡Liquidar a cuatro desgraciados utilizando un sistema que yo había diseñado no es lo mismo que acabar con Bob Johnson, pero es lo que tenemos más a mano! ¿Dónde se encuentra el general Mendoza?

—Donde siempre; en la piscina y aferrado a una copa.

Fue en su busca, lo encontró tumbado en una colchoneta flotante, feliz con un vaso de whisky en la mano y un cigarrillo en la otra; aguardó a que saliera del agua para acomodarse en la hamaca vecina y le golpeó con innegable afecto el grueso muslo aún chorreante.

—¿Qué hubo, compadre? —inquirió en un perfecto castellano, exagerando a propósito su leve acento sudamericano—. ¿Qué ha decidido tu presidente?

—Nada por el momento, hermano —fue la sincera confesión, en la que resultaba perceptible un ligero tono de desencanto personal—. Alega que necesita tiempo para pensárselo porque reconoce que es una oferta tentadora pero muy peligrosa.

—Entiendo. —Eugene Sanick se dio cuenta de que no era momento de presionar pero sí de exponer argumentos sólidos, por lo que señaló, con el convincente tono que solía emplear en los negocios—: Tu presidente debe entender que si bien es cierto que dispone de casi la quinta parte de las reservas conocidas, se trata de un crudo muy pesado y que por lo tanto no está en disposición de comercializarlo a no ser que construya refinerías especiales. Eso exige una tremenda inversión y una tecnología demasiado sofisticada, cosas ambas que en estos momentos se encuentran totalmente fuera de su alcance. —Alzó la mano cortando la incipiente protesta de su interlocutor—. Las cosas son así, compadre, y tú lo sabes.

—También sé que busca financiación para una de esas refinerías.

—Si acepta mis condiciones le garantizo la financiación, con lo que en menos de seis años conseguirá adueñarse de un mercado que estará muy necesitado debido a que la mayor parte de los países habrán decidido no perforar en aguas ultraprofundas, que es donde se encuentran los grandes yacimientos.

—¿Y eso cómo lo sabes?

—Del mismo modo que el agricultor que ha plantado lechugas sabe que llegará un día en que las llevará al mercado; lo único que tiene que hacer es regarlas y podar la mala hierba.

—¿Y a qué viene tomarte tantas molestias? —quiso saber el gigantón de la enorme panza, al que resultaba evidente que no le cabía en la cabeza que alguien que poseía tanto quisiera aún más—. Nos conocemos hace años y por mucho dinero que te pagáramos no tendrías tiempo de gastártelo. ¡Son ganas de trabajar para nada, hermano!

—El dinero no me lo abonarías a mí, sino a la Fundación Georgia Wallis. —El dueño del barco se encogió de hombros al añadir—: Pero no se trata únicamente de dinero, compadre; es que aunque me tenga sin cuidado que la humanidad desaparezca, no soy tan desalmado como para ignorar que sería una locura continuar perforando a esas profundidades mientras no se sepa mucho más sobre esos malditos diapiros y el daño que pueden causar si la tecnología no mejora.

—La verdad es que constituyen un grave peligro —admitió el general Alí Mendoza al tiempo que se servía una más que generosa ración de whisky y se entretenía en paladearlo con delectación—. Un puñetero peligro.

—No son un peligro —le contradijo «€&$»—. Son un monstruo que parece haber salido de aquellas viejas películas de terror en las que una masa informe comenzaba a crecer devorándolo todo y cuando le disparaban, explotaba lanzando una especie de pus venenoso. —Le golpeó de nuevo en el muslo al concluir—: Y si conseguimos que se deje en paz el crudo del Golfo vuestros yacimientos de esquistos bituminosos del Orinoco multiplicarán por veinte su valor.

El venezolano apuró su whisky, dejó el vaso a un lado y se introdujo de nuevo en la piscina, desde la que inquirió con sorna:

—¿Y es por eso por lo que estás adquiriendo tantas concesiones de tierra adentro en Canadá, Irán o Alaska? —Le guiñó un ojo al añadir—: Recuerda que contamos con los agentes secretos más eficaces que existen; en su mayoría cubanos, eso sí, pero con una larga experiencia, y la mejor prueba la tienes en que Fidel se ha mantenido medio siglo en el poder.

—¿Y estás convencido de que os tienen al corriente de todo lo que ocurre? —fue la incisiva pregunta acompañada de una burlona sonrisa que no pasó desapercibida a su desconcertado interlocutor—. ¿De todo? ¡Ya!

—¿Qué carajo pretendes decir con ese «¡ya!» tan despectivo, carajito? —fingió indignarse el general Mendoza—. Los cubanos son nuestros aliados, les mandamos petróleo y a cambio nos proporcionan médicos, maestros, instructores militares y una extraordinaria red de informadores que va de aquí a Pekín. —Ante la burlona sonrisa del otro añadió, molesto—: ¿Acaso dudas de mi palabra?

—¡Nunca, mi hermano! —El tono de voz de Eugene Sanick era de absoluta sinceridad—. Eso nunca, pero deberías pararte a pensar que los castristas están tan desesperados que acaban de despedir a medio millón de empleados públicos mientras se bajan los pantalones permitiendo que se construyan en la isla doce campos de golf y treinta mil villas de lujo «sólo para extranjeros».

—¿Y eso qué tiene que ver?

—Indica que su régimen agoniza, razón por la que algunos de sus jerarcas firman cualquier documento, por absurdo que sea, con tal de largarse de la isla con unos cuantos dólares en la maleta. —Por tercera vez le golpeó afectuosamente la pierna, como si con ello diera por concluida la conversación—. Y para que no te llames a engaño te notifico que han cerrado acuerdos con el fin de garantizarse el abastecimiento de energía en el caso de que las actuales relaciones con tu querido presidente se deterioren. —Negó con la cabeza como si le costara trabajo admitir tamaño descaro—. Y si eso también les falla les consuela saber que tienen su dinero a buen recaudo en un banco de las islas Caimán.

—¿Y tú cómo lo sabes?

—Porque gran parte de ese dinero es mío y los tipos a los que he sobornado no se arriesgarían a incumplir los acuerdos por miedo a que me decidiera a sacar sus trapos sucios a la luz y fuera el propio Castro quien les cortara los huevos.

9

Bob Johnson era un hombre de mediana edad, mediana estatura, mediana complexión física y aspecto tan anodino que nadie repararía en él a no ser que supiera que tras su aparente vulgaridad se ocultaba uno de los mejores jugadores de póquer del circuito internacional, alguien que había triunfado en seis torneos dotados de premios millonarios y al que muchos deseaban enfrentarse por el simple placer de contar algún día que habían compartido tapete verde con el mítico Bob, *el Búho*.

En cierta ocasión había ganado casi cien mil dólares con una raquítica pareja de cuatros acobardando a un rival que había ligado un trío de sietes, y ello se debía al hecho de que por mucho que se le observara nadie se sentía capaz de determinar el auténtico valor de sus cartas.

Lo mismo daba que sobre la mesa tan sólo se amontonaran cinco miserables fichas de cincuenta dólares que medio millón; ni su rostro, ni sus manos ni un solo músculo de su cuerpo se alteraba un ápice, lo que obligaba a creer a sus contrincantes que se estaban enfrentando a una máquina que lo único que hacía era calcular sus opciones de éxito.

Y lo que más desasosegaba era el hecho de que su

celebérrima y exasperante impasibilidad se mantenía tanto si ganaba como si perdía, como si despreciara el dinero, y el dinero, al igual que cierta clase de mujeres, tanto más persigue a un hombre cuanto en menor estima lo considera.

Hablaba poco, rara vez compartía los comentarios de sus compañeros de mesa, nunca sonreía, no bebía y no fumaba, por lo que se había ganado a pulso justa fama de mochuelo, enervante para la mayoría de los jugadores aunque fascinante desde el punto de vista de quienes hubieran deseado «seguir su escuela».

Habría podido ganarse la vida haciendo de «estatua viviente» en cualquier plaza pública sin verse obligado a realizar otro gesto que agradecer con un ligero parpadeo el hecho de que le depositaran unas monedas en el platillo, por lo que la noche que venció en el máximo torneo de uno de los grandes casinos de Las Vegas y los medios de comunicación le preguntaron qué significaba el hecho de haberse convertido en dueño de tan fabulosa montaña de billetes, su respuesta resultó concisa y sobre todo sincera:

—La posibilidad de irme pronto a la cama.

Nadie sabía dónde residía cuando no estaba «de gira», no se le conocían familiares ni amigos y jamás se dio el caso de que contratara por segunda vez los servicios de alguna de las espectaculares prostitutas con las que solía mantener relaciones un par de veces por semana.

Tampoco se recordaba que algún amigo diera un salto de alegría, dejara escapar un grito de admiración o aplaudiera a la conclusión de alguna de sus geniales jugadas, porque lo cierto es que hasta el último espectador ansiaba verle perder.

Cuando alguien se lo comentaba solía encogerse de hombros, lo que ya representaba un gran esfuerzo para él, al tiempo que susurraba:

—Los aplausos no se pueden guardar en una caja fuerte.

Cuando no ejercía de busto silencioso ante una mesa de juego, Bob, el Búho, desaparecía de la circulación hasta el punto de que tan sólo se le podía localizar dejándole un mensaje en el móvil a su «agente» y éste se encargaba de hacérselo llegar, aunque era cosa sabida que no solía responder a no ser que le emplazaran para alguna partida importante en cualquier lugar del mundo.

En ese caso llegaba, jugaba, se embolsaba las ganancias o pagaba en metálico sus pérdidas y desaparecía mimetizándose entre la multitud.

Hacía bien, puesto que eran tantos los que le odiaban por haberles «desplumado» sin mover un músculo que más de uno hubiera disfrutado machacándole el cráneo.

Debido a ello, el día que un desconocido de aspecto anodino del que ningún testigo se sentía capaz de dar una descripción fiable penetraba en un lugar, le volaba la cabeza a alguien y desaparecía a continuación como si nunca hubiese existido, a nadie se le pasaba por la mente que tras aquella corta barba postiza, aquel pequeño bigote y aquellas gruesas gafas de miope pudiera ocultarse el rostro de un excepcional jugador de póquer.

Y es que para Bob Johnson los grandes torneos constituían en realidad una pantalla con la que justificar sus injustificables ingresos y una forma de acudir a los lugares más lejanos sin levantar sospechas.

A un torneo en Las Vegas seguía una millonaria partida en Dubái y a esta, otra en Macao, por lo que viajaba con la tranquilidad de quien sabe que las autoridades aduaneras de medio mundo eran conscientes de que el antiguo, denostado y perseguido «vicio del póquer» se había convertido en un deporte que movía millones, proporcionaba incontables puestos de trabajo y saneaba las arcas de muchas haciendas públicas.

Y es que día a día se multiplicaba el número de cuantos «disfrutaban» viendo como su dinero se convertía en fichas de colores, pese a que esas fichas se fueran apilando ante profesionales tan encumbrados por los medios de comunicación como Bob, el Búho.

Mucho se ha escrito sobre la imperiosa necesidad que experimentan algunos seres humanos a la hora de perseguir un sueño que la mayoría de las veces resulta inalcanzable, dado que está plenamente demostrado que el jugador ocasional nunca gana y cada pequeña victoria le va conduciendo paso a paso hacia la gran derrota final.

Y con demasiada frecuencia esa irremediable catástrofe viene a significar una especie de alivio, como si el hecho de haberlo perdido todo liberase al jugador de la insoportable tensión que significa el hecho de estar siempre temiendo perderlo todo.

Como suelen decir los condenados a muerte: «Los diez minutos que tardarán en ejecutarme nunca serán tan duros como los diez años que llevo esperando a que me ejecuten.»

Bob Johnson era un experto en cuanto se refería a la ansiedad de quienes advertían cómo mano tras mano la caprichosa fortuna se iba volviendo cada vez más esquiva, tomaba posiciones al otro lado de la mesa y ninguna fuerza, ni divina ni humana, conseguía que regresara.

Cuando el montón de fichas comenzaba a descender, la sudoración aumentaba, la boca se resecaba y negros nubarrones se apoderaban de unas mentes que no alcanzaban a concebir por qué maldita razón las buenas cartas parecían haber desaparecido de la baraja.

A Bob, el Búho, nada de ello le afectaba, porque sus mejores cartas dependían siempre de una anónima llamada telefónica que le indicaba a quién debía eliminar con su habitual seriedad y eficacia.

No obstante, en aquellos momentos se sentía tan desconcertado como aquel ya lejano día en que en la final de un campeonato en el Caesar Palace no fue capaz de determinar si lo que tenía su oponente era una simple pareja o un full de jotas.

La dificultad a la hora de decidir se le antojaba semejante, pero sospechaba que en esta ocasión la apuesta era mucho más alta, tal vez su propia vida, visto que por primera vez desde que comenzara a trabajar para ella, la rígida, impersonal y casi helada voz que resolvía «los problemas logísticos» que se le presentaban cuando llevaba a cabo un trabajo se había quedado muda.

Era como si los engranajes de una maquinaria que solía funcionar con rapidez y a pleno rendimiento se hubieran atascado de improviso mientras lo único que respondía a sus demandas de ayuda era el silencio.

Ni dinero, ni órdenes ni consejos; nada.

Había cumplido con su obligación de acabar limpiamente con Peter Miller sin que nadie pusiera en duda que se había tratado de un suicidio, y había conseguido localizar el domicilio de la misteriosa amante de Gordon Sullivan pese a que en principio no parecía tarea fácil.

Incluso había pasado casi veinte minutos en la coqueta casita de la escurridiza Salima Alzaidieri antes de que las sirenas de la policía le obligaran a correr como hacía años que no corría.

La falta de tiempo no le permitió registrar a fondo la casa o hacerse una idea de cuál podría ser el paradero de su propietaria, pero le bastó para recabar los datos que necesitaba sobre su móvil, su número de la seguridad social, sus dos pasaportes o sus tarjetas de crédito.

Estaba convencido de que con tan valiosa información la eficiente organización para la que trabajaba podría seguirle el rastro a la iraní, pero en el momento en que telefoneó al «número de apoyo» le inquietó descubrir que la conocida voz no contestaba, como si súbitamente le hubiera abandonado a su suerte.

Pocas cosas se le antojaban tan descorazonadoras como el repicar de una llamada telefónica que insistía e insistía sin que se obtuviera respuesta, y en ocasiones se sentía tan ridículo como un *quarterback* que se hubiera quedado en el centro de un abarrotado estadio con el balón en la mano y al pretender lanzárselo a un compañero descubriera que a los restantes componentes de su equipo se los había tragado la tierra.

Y que la defensa contraria, seis mastodontes de más de cien kilos de músculos, furia y cascos de acero, se le echaba encima a paso de carga.

Cualquier otro hubiera lanzado la pelota al aire para salir corriendo, pero él seguía siendo Bob, el Búho, por lo que se consideraba obligado a conservar el balón e intentar esquivar la embestida.

Lo primero que hizo fue retirarse a su seguro refugio de Montana, una cómoda cabaña perdida entre espesos bosques y sinuosas quebradas que mantenía siempre abastecida de cuanto pudiera precisar durante meses.

Necesitaba tiempo para reflexionar y a su entender no existía un lugar más idóneo a la hora de centrarse en la tarea de pasar revista a los años que había trabajado para unos desconocidos que se limitaban a marcarle un objetivo y abonar sus abultados «honorarios».

No obstante, y a pesar de que poco le importaba a quién tenía que matar, era lo suficientemente perspicaz como para haber caído en la cuenta de que todos aquellos a los que se le había ordenado eliminar se encontraban relacionados de una forma u otra con el negocio de la energía.

Ése era, a su modo de entender, el único vínculo que tenían en común sus víctimas, lo cual le había llevado a la lógica conclusión de que sus «patronos» debían de pertenecer al mismo ambiente, pero no tardó en llegar a la conclusión de que de poco servía hacer conjeturas sobre quién y por qué le había estado pagando cuando lo que importaba era averiguar por qué razón dejaba de hacerlo y qué consecuencias traería aparejado.

Nadie en su sano juicio dejaba «colgado» y sin la menor explicación a alguien que le había prestado excelentes servicios en un campo tan peligroso como el de las muertes por encargo, por lo que la noche en que su «agente» le comunicó que el dueño del Cinco Ases de Las Vegas, del que siempre había sospechado que colaboraba con los Bocco, se dedicaba a preguntar por su paradero, comprendió que las cosas llegaban a su fin.

Le constaba que cuando los Bocco se interesaban por alguien no era con el fin de felicitarle las pascuas y eso significaba que de la noche a la mañana había pasado de cazador a pieza cotizada. ¿Por qué?

Repasó uno por uno sus recientes trabajos en busca del error que le hubiera hecho caer en desgracia y no lo encontró, del mismo modo que no le cabía en la cabeza que aquellos que le contrataron con tan impecables resultados intentaran eliminarle con la disculpa de que sabía demasiado.

Nunca había querido saber nada y nunca hubiera deseado saberlo a no ser que le empujaran a ello, razón por la que prefería imaginar que quienes habían demostrado ser tan inteligentes durante tanto tiempo no se habían vuelto estúpidos de la noche a la mañana.

Sin abrigar una absoluta seguridad, puesto que un buen jugador de póquer nunca da una mano por ganada antes de tiempo, tenía el convencimiento de que la amenaza provenía de otra parte.

10

Llegaron cansados y sobre todo hambrientos, por lo que decidieron cenar en El Tesorero, con lo que al fin la iraní pudo conocer a quien hasta entonces había estado «de pesca», curioso eufemismo con que el descarado Celso Castañeda solía justificar su afición a pasar largas temporadas en un mar del que tan sólo regresaba con algún que otro mero o un triste puñado de doradas.

Visto el tiempo que empleaba y su escaso número de capturas cabría darle el merecido título de «el peor pescador del Caribe», pero era cosa sabida que las presas que él perseguía jamás habrían picado un anzuelo.

Lo primero que hizo el escuálido buceador, al que las muchas horas de inmersión habían consumido hasta la última gota de grasa de su diminuto cuerpo, fue abrazar con afecto «a su autor preferido», felicitarle porque tenía la impresión de que había sentado la cabeza gracias a una mujer «arrebatadoramente fascinante» y conducirles con exagerado secretismo a la enorme nevera del restaurante con el fin de extraer del vaciado vientre de un grueso mero una daga cuya empuñadura de oro macizo aparecía adornada con diminutas esmeraldas.

—La encontré hace un mes y me han confirmado

que perteneció a un virrey del Perú —aseguró convencido de lo que decía—. Pienso donársela a un museo, pero hasta el día en que estire la pata la escondo aquí para que tan sólo puedan admirarla mis mejores amigos.

Se empeñó luego en preparar él mismo su famosa especialidad, «langosta asada en arena con salsa de papaya y coco», y compartió con ellos la cena fascinando a la que dio por denominar «iraní de ojos de hurí» con el apasionante relato de sus enfrentamientos con los feroces tiburones que pululan por el peligroso canal de la Mona, que separa Santo Domingo de Puerto Rico.

—Tengo localizados los restos de un hermoso galeón en los alrededores de la isla de la Mona —aseguró—. Pero esos malditos «tragapatas» que surgen como flechas de las profundidades no me dejan trabajar en paz. Esta cicatriz de la pantorrilla se la debo a uno de ellos.

Durante el corto espacio de tiempo en que se levantó a despedir a unos clientes habituales, la «iraní de ojos de hurí» le comentó al colombiano con innegable mala intención:

—No sé de qué demonios te quejas; lo que cuenta es tan apasionante que tendrías para escribir tres novelas.

—Para escribir una buena novela sobre el fondo del mar hay que saber mucho sobre el mar, querida —fue la sincera respuesta carente del menor pudor del aludido—. Y yo en cuanto me subo a un barco me mareo y en cuanto meto la cabeza bajo el agua, me quedo como alelado.

—Pues no me había percatado de que este pueblo estuviera totalmente sumergido —insistió ella en el mismo tono.

—¿Acaso intentas vengarte por lo que he dicho sobre Gordon? —quiso saber el colombiano, apartando el plato como si se le hubiera acabado el apetito, pese a que la langosta estaba excelente—. Entiendo que te haya hecho daño, pero la verdad nunca deja de ser verdad por el mero hecho de que se le corte la cabeza al mensajero.

—Cuando tienes razón tienes razón, y en este caso no me queda más remedio que dártela. Me siento traicionada, dolida, desconcertada e incapaz de imaginar que quien me salvó una vez del infierno es el mismo que me arroja de nuevo a las llamas.

—Saldrás de ésta —intentó animarla.

—Achicharrada.

—Pronto o tarde todos llegamos al final del camino achicharrados —le hizo notar el colombiano—. Y en cierto modo es bueno que la piel se nos curta cuanto antes; se sufre menos.

El Tesorero regresó con la intención de continuar con sus historias de tiburones y barracudas, pero Asdrúbal Valladares le interrumpió colocando el dedo índice bajo la palma de la otra mano, como si estuviera pidiendo «tiempo muerto» en un partido de baloncesto.

—¡Para el carro! —suplicó—. Antes de que nos dé el alba escuchándote, y ya que sabes tanto sobre el mar, necesito que me aclares si existe algún modo de averiguar el nombre de un yate matriculado en Panamá.

—¿En Panamá...? —fingió asombrarse el minúsculo buceador—. Que yo sepa debe de haber unos ocho mil barcos matriculados en Panamá. Y una buena parte de ellos son yates. ¿Es de vela o motor?

—De motor —se apresuró a responder Salima Alzaidieri—. Muy grande y muy lujoso; azul y con tres cubiertas.

—¿Más de cincuenta metros? —Al advertir que ella dudaba, señaló al promontorio que cerraba la bahía—. ¿Como desde aquí hasta allí?

—Casi el doble; es el yate más grande que he visto nunca.

—¡Vaya por Dios! Ése es un buen dato, puesto que no abundan los de semejante eslora. —Hizo una corta pausa y añadió—: Tengo un amigo en la comandancia de Marina que me debe algunos favores; le pediré que me proporcione datos y fotos. —Pareció dar por concluido el tema para fijar de nuevo su atención en la «iraní de ojos de hurí» con la sana intención de continuar con su relato—: Como te iba diciendo, aquel jodido bicho daba vueltas a mi alrededor cuando...

—¡De un bocado te arrancó los huevos!

El Tesorero alzó el rostro para enfrentarse a la mujerona que le doblaba en peso y casi en tamaño, y que le observaba de medio lado, por lo que no pudo por menos que exclamar, abriendo mucho los ojos y en tono de desmesurado horror:

—¡Santo cielo, la Valquiria! Me espera la noche de Walpurgis. ¡Que Odín me proteja!

—Lo que te espera es dormir en la nevera, enano —fue la respuesta de la gigantona—. Deja de hacer de comandante Cousteau y vete a cerrar caja, que el pobre Asdrúbal está hasta el gorro de tus historietas.

Lo arrancó de allí casi a empujones y al advertir la expresión de desconcierto de Salima, el escritor señaló:

—No te preocupes; también es pura comedia y en cuanto apaguen las luces, se irán a la cama porque se adoran. A Celso le encanta engatusar a las mujeres, pero de ahí no pasa.

—Me tomaría un coñac.

—¿Cómo has dicho? —se sorprendió él.

—Que me tomaría un coñac —fue la firme respuesta, en la que se advertía un claro deje de amargura—. Creo que me lo merezco el día que me veo obligada a aceptar que he sido una imbécil.

—Pero sabes tan bien como yo lo que suele ocurrir cuando se empieza a beber de nuevo —le recordó alargando la mano con el fin de acariciar la de ella en un gesto meramente amistoso—. Y no vale la pena.

—A veces vale la pena emborracharse, siempre que no se convierta en costumbre —respondió aquella cuyos ojos parecían haber perdido su brillo—. He intentado convencerme de que existía una explicación a todo este desaguisado, pero llega un momento en que las pruebas se convierten en una losa. —Colocó su otra mano sobre la de él al inquirir, como si en ello le fuera la vida—: ¿Por qué lo ha hecho?

—Probablemente, y como tú misma aseguraste, por dinero. La única diferencia estriba en que entonces te parecía correcto, ya que imaginabas que ese dinero era para marcharse contigo, pero ahora te parece horrendo porque tal vez lo haya empleado en irse con otra. —Asdrúbal Valladares se encogió de hombros como si la cosa careciera de importancia al concluir—: Como de costumbre, el bien y el mal dependen del punto de vista.

—Cuando te lo propones sabes hacer mucho daño.

—Las palabras tan sólo hieren a quien es propenso a ser herido por ellas, querida. ¡Por favor, Catalina! —le pidió a la camarera que cruzaba a su lado—: Un coñac y una «sangre de atún».

Tal como era de esperar no fueron las dos únicas copas de la noche; amanecieron entre ronquidos y vómitos, incapaces de acertar con la llave en la cerradura, por lo que cuando al fin la gorda Braulia hizo su aparición ya con el sol muy alto, no pudo por menos que mascullar:

—¡Éramos pocos y parió la abuela! Aún no lleva un día en la casa y la muy puta ya le ha cogido el gusto.

11

—¿Alguna noticia de Johnson?

—Ninguna de momento, señor.

—No me gusta, no me gusta nada. Utiliza los medios que sean necesarios, pero que acaben con él lo antes posible. —Le hizo un gesto para que tomara asiento al otro lado de la amplia mesa de despacho, esperó un tiempo como si con ello pretendiera dar a entender que lo que iba a decir era importante, y tras carraspear y rascarse la oreja tal como hacía con frecuencia añadió—: Hace mucho que trabajas para mí, siempre has sido leal y eficiente, por lo que considero que ha llegado el momento de nombrarte director general de la Fundación Georgia Wallis, consejero delegado de la €&$ Oil Company y mi albacea testamentario, trabajos por los que recibirás un diez por ciento de todo cuanto se ingrese en el futuro.

Dan Kosinsky no pudo por menos que agitarse en su silla, sorprendido por tan generosa oferta y visiblemente encantado.

—¿Cómo puedo agradecerle tan extraordinaria prueba de confianza, señor? —quiso saber.

—Comportándote del mismo modo que lo has hecho hasta el presente y prestando atención a lo que voy a decirte con el fin de que sepas cómo actuar cuando yo falte —replicó Sanick con una amistosa sonrisa—. La compañía es sin duda importante, aunque tan sólo sea porque da trabajo a muchísima gente, pero la fundación es el legado de Georgia y tal vez la única cosa realmente decente que he hecho en mi vida, por lo que dependiendo de cómo la administres habrá valido o no la pena haberme esforzado tanto.

—Le consta que haré por ella cuanto esté en mi mano —prometió Dan Kosinsky, y nadie hubiera dudado de que lo decía de corazón—. Confío en que cuanto me ha enseñado a lo largo de estos años sirva de algo.

—También yo, aunque todavía no te he enseñado lo esencial; si conseguimos que el precio del barril supere los cien dólares, nuestros socios nos tendrán que abonar dos dólares por barril que exporten, lo que he calculado que supondrá unos beneficios netos de casi veinte millones diarios.

—Una cifra impresionante, señor.

—No tanto si se tiene en cuenta el volumen de la inversión y que correremos enormes riesgos a nivel de seguridad personal. Bajo el Golfo se esconde el futuro en forma de un océano de crudo que fascina a las petroleras, que se las ingeniarán a la hora de corromper a políticos y utilizar mil triquiñuelas con el fin de que no se les impida apoderarse de él. —«€&$» se tomó un descanso, se sirvió un vaso de limonada y encendió un cigarrillo con estudiada parsimonia, pese a la mirada de reconvención de su secretario—. ¡No me jodas con el tema del tabaco! —protestó—. Si el corazón me va a reventar por un simple pitillo, es que es una mierda de corazón y más me vale librarme de él.

—Aún le necesitamos, señor.

—Nadie me necesita, Danny, no digas sandeces —le espetó su jefe con acritud—. La humanidad estaría mucho mejor sin individuos como yo, pero como el Creador se empeña en que existamos sus razones tendrá, o tal vez se deba a que sin nuestra desatada avaricia la humanidad continuaría en la Edad de Piedra.

—Siempre me ha asombrado que sea tan duro consigo mismo, señor —le hizo notar su interlocutor, que en verdad parecía no dar crédito a lo que estaba oyendo pese a que llevaba dos décadas a sus órdenes—. Ha llegado a la cima partiendo de la nada, pero aun así se menosprecia.

—Para ser tan duro como suelo ser con los demás debo empezar por serlo conmigo mismo. Y reconocer mis defectos no significa que me menosprecie, sino que valoro la enorme distancia que los separa de mis aciertos. —Eugene Sanick aspiró con delectación, se entretuvo en intentar dibujar un anillo en el aire con el humo, y tras el cuarto fracaso masculló—: ¡La puta! Nunca me salen, mientras Georgia, que apenas fumaba, conseguía meter tres aros, uno dentro del otro. ¿Por dónde iba?

—Decía que las petroleras intentarán por todos los medios que se les permita extraer el crudo del Golfo.

—¡Cierto! Por eso debemos procurar que la opinión pública se movilice hasta el punto de que los políticos comprendan que por el simple hecho de interceder a favor de esas prospecciones arriesgan su futuro. Me consta que la mayoría se deja sobornar, puesto que he sobornado a la mayoría, pero por eso mismo sé muy bien que su límite se sitúa justo en el punto en que comprenden que perderán el poder, ya que al no disponer del poder no están en disposición de que nadie intente sobornarles.

—Eso lo aprendí muy pronto —admitió Dan Kosinsky—. Más difícil me resultó aprender cómo ofrecerles el primer dólar que el último.

—Te ocurría porque cuando empezaste a trabajar para mí eras incapaz de percibir el leve hedor que emana de aquellos que están dispuestos a venderse, de la misma forma que existen hombres cuya inexperiencia les impide captar el leve olor a amoniaco que desprenden algunas mujeres cuando están deseando que les propongan irse a la cama.

—¿Lo dice en serio, señor? —inquirió el otro, vivamente interesado.

—Como te lo cuento, pero no estamos aquí para hablar de sexo sino de economía, pese a que con demasiada frecuencia venga a ser lo mismo. Y deja de llamarme señor porque ya somos socios. —Apagó la colilla del cigarrillo y repitió—: ¿Por dónde iba?

—Por la necesidad de que la opinión pública se vuelque en defensa de los mares.

—¡Cierto también! Y como de igual modo es cierto que a la opinión pública conviene ayudarla a saber lo que quiere, te aconsejo que empieces por informar sutilmente a los medios de comunicación de que las sales, anhidritas y yesos que proceden de niveles estratigráficos sometidos a terribles presiones constituyen una amenaza que las tecnologías actuales aún no saben cómo afrontar: en dos palabras, que como se continúe por el camino que vamos el mundo que conocemos se irá al carajo.

—¿Y sinceramente cree que puede ocurrir? —se alarmó el otro.

—¡No lo sé! —fue la tranquila respuesta—. Lo único que sé es que a miles de metros bajo nuestra quilla se ocultan una especie de fantasmagóricos leones dormidos a los que no conviene tocarles las bolas porque si se tiran un pedo, asfixian a la mitad de los peces del océano. Eso, expresado en términos sofisticados y ecológicamente llamativos, es lo que vamos a procurar que se diga, y cuanto más famoso sea el que lo diga, mejor.

—¿Te refieres a gente del espectáculo? —fue la tímida demanda, timidez motivada tanto por la pregunta en sí como por el hecho de atreverse a tutearle—. ¿Actores, cantantes y deportistas?

—Aquellos a los que los demás imiten, envidien o admiren, puesto que quienes imitan, envidian o admiran a ese tipo de personajes imaginan que si se expresan como ellos, acabarán siendo como ellos. Los camaleones saben que si se mimetizan con una hoja, parecerán una hoja, mientras que ciertos humanos creen que si se mimetizan con una hoja, acabarán convirtiéndose en una hoja. ¡Y jamás lo consiguen!

—¿Cuánto podemos gastar en esa campaña?

—Lo que haga falta, querido Danny, lo que haga falta, pero teniendo en cuenta que en determinadas situaciones la persuasión vale más que el dinero. Cuando a ciertas personas no se les puede pagar lo que exigen por hacer un favor, es preciso convencerlas de que nosotros les estamos haciendo un favor al permitir que se cuelguen una medalla de la que ni tan siquiera habían oído hablar. Cuanto se refiere a la ecología y la defensa del medio ambiente, se mueve en unos parámetros que van desde la ignorancia y la histeria más absoluta a la indiferencia o la más execrable maldad, por lo que se convierte en un pantanal en el que la mayoría chapotea sin encontrar salida. Estúdiate muy bien las tácticas del ex vicepresidente Al Gore, que es quien más provecho ha sabido sacarle a ese enorme pastel, dedícate a repartir brillantes medallas de latón y harán lo que les pidas.

—Eugene Sanick cerró los ojos al tiempo que inclinaba levemente la cabeza sobre el pecho al inquirir casi en un susurro—: ¿Recuerdas qué celebrábamos cada 4 de julio con una fabulosa fiesta?

—El Día de la Independencia y el cumpleaños de Georgia.

—Alguien como ella tan sólo podía haber nacido en un día como ése.

Eugene Sanick nunca podría olvidar que en vísperas de un 4 de julio le había preguntado:

—¿Qué se le puede regalar a una bellísima mujer, que según ella misma afirma «lo tiene todo», el día en que se convertirá en cuarentona?

—Un robot submarino —fue su inmediata respuesta.

—¿Cómo has dicho? —inquirió perplejo.

—He dicho que no quiero más collares de zafiros, anillos con enormes brillantes ni bobadas por el estilo; quiero que me regales uno de esos robots que se conducen por control remoto y que son capaces de descender a casi cuatro mil metros de profundidad.

—¿Y para qué demonios quieres un trasto semejante? —inquirió perplejo, pese a que estaba acostumbrado a los absurdos caprichos de su cada día más caprichosa esposa.

—Para sacar piedras del fondo.

—Existen miles de millones de piedras en tierra firme, querida —le hizo notar por si no se había dado cuenta de algo tan obvio—. ¿Qué tienen de especial las que se encuentran en el fondo del mar?

—Que están húmedas, y sé por experiencia que a ti tanto más te gustan ciertas cosas cuanto más húmedas están. —Se echó a reír con aquella risa escandalosa y espontánea que se contagiaba de inmediato a cuantos se encontraban en las proximidades y que tenía la virtud de dejarle tan inerme como si se hubiera convertido en un preso atado de pies y manos, y al poco añadió—: ¿A ti qué más te da? El tontaina de tu joyero me ha pedido que le envíe las medidas exactas de mi cabeza, gracias a lo cual he podido averiguar que te gastarías en una estúpida diadema casi el doble de lo que cuesta el inteligente robot que me gusta. —Le guiñó un ojo al concluir con absoluta determinación—: Y te juro que no pienso ponerme una ridícula coronita que te va a costar millones arriesgándome a que un día que beba más de la cuenta vomite por la borda y se vaya al fondo.

—¡Pero es que...!

—¡Escucha, querido! —le interrumpió al tiempo que le besaba la comisura de los labios—. Imagino que te hacía mucha ilusión que me arrodillara ante ti y te desabrochara la bragueta luciendo una coronita de esmeraldas, pero te juro que pondré el mismo entusiasmo si me encasqueto un simple sombrero de paja.

—¡A veces resultas insoportable! —masculló con fingida indignación «€&$»—. Eres descarada, desvergonzada, deslenguada, desconsiderada...

—Todos los «des» que se te ocurran, querido —admitió ella al tiempo que le colocaba la mano en la entrepierna—. Pero ha bastado con que te lo mencione para que se te levante el ánimo. ¡Anda, vamos a la cama, que creo que por alguna parte guardo un sombrero de paja!

Media hora después, mientras compartían un cigarrillo con el que ella trazaba perfectos anillos de humo y se burlaba de su incapacidad de imitarla, comentó:

—Te garantizo que aprenderemos cosas muy interesantes sobre la vida submarina y nos divertiremos como locos intentando agarrar piedras con esas enormes pinzas que se manejan por control remoto. Será como cuando en las ferias pretendes sacar una muñeca de una urna de cristal.

Como no podía ser de otro modo acabó regalándole el robot y lo cierto es que nunca se arrepintió; el mundo submarino era realmente maravilloso y digno de Georgia.

12

Era como buscar en la nevera y no encontrar nada.

Sabía muy bien que cuando la mente se le quedaba en blanco a la hora de intentar escribir de forma coherente y abría aquella ficticia puerta con la esperanza de que hubiera hecho su aparición un pedazo de carne, un trozo de queso o una simple manzana con los que alimentar su imaginación, lo único que descubría eran blancas paredes, botellas semivacías y estanterías de vidrio.

Y es que la imaginación solía tener los mismos vicios que una nevera: cuando no se llenaba en días de bonanza, no se la podía vaciar en días de carencia.

Años atrás, cuando acudían a pedirle ayuda jóvenes ansiosos de convertirse en escritores, sus enseñanzas se limitaban a dos únicos consejos: «Escribe como si estuvieras haciendo el amor, sin esperar nunca otra recompensa que el placer en sí mismo, y ten presente que la imaginación es como un músculo que cuanto menos se utiliza peor responde.»

Asdrúbal Valladares había pasado demasiado tiempo sin escribir, sin hacer el amor y sin forzar su cerebro, por lo que ahora se le podía considerar un viejo fondista anquilosado, incapaz de correr cincuenta metros sin caer exhausto.

Se pasaba las noches en vela, echando de menos su viejo colchón de hojas de maíz que hedía a sudor y vómitos, y echando de menos el sepulcral silencio de la casa. Ahora desde el otro lado de la pared le llegaba, tenue pero enervante, el monótono zumbido de un ventilador que runruneaba sin descanso.

Saber que la iraní dormía a menos de dos metros de distancia, sentir cómo se agitaba, murmuraba entre sueños o encendía la luz con el fin de pasarse horas leyendo le cohibía y le obligaba a temer que en cuanto cerrara los ojos, dejaría escapar una serie de intermitentes y estruendosos ronquidos o, lo que era aún peor, una de aquellas fétidas y escandalosas ventosidades que en otros tiempos obligaban a la pobre Ágata a saltar de la cama y correr al porche en busca de aire puro.

Se preguntaba si tan pestilente acumulación de gases se debería a la edad o a las peculiaridades de la cocina caribeña, pero cualquiera que fuera la razón, a partir del día en que Salima Alzaidieri se había instalado en la casa experimentaba la desagradable sensación de que le arrebataba lo único valioso que le quedaba: «su impagable soledad».

Hasta días antes, desde el momento en que Braulia lavaba los platos del almuerzo y desaparecía cerrando la puerta a sus espaldas, la vieja casucha se convertía en su reino o su mazmorra, algo que tan sólo dependía de su estado de ánimo o de lo que hubiera bebido, y por lo tanto era libre de pasear desnudo, hablarle al deslucido espejo o sentarse en el inodoro con la puerta abierta.

Pero lo que la semana anterior podía considerarse «normal» de pronto pasaba a ser indecente, estrafalario o guarro.

Y lo peor del caso estribaba en que la presencia de

la iraní no le aportaba nada positivo, dado que su deprimente estado de ánimo, en el que parecía siempre a punto de meter la cabeza en el retrete y tirar de la cadena, contribuía a aumentar su incapacidad de volver a llenar de las palabras apropiadas una hoja en blanco.

Las cien primeras páginas de *El mar en llamas* —el título era a su entender lo único aceptable del libro— carecían de ritmo, de vigor y sobre todo de la ironía o el absurdo sentido del humor que siempre caracterizaron sus novelas, debido al hecho de que a aquella edad y en aquellas circunstancias ni cabía espacio para la ironía ni había gran cosa sobre lo que bromear.

Le venía a la memoria el manido chiste: «La hiena es un animal cobarde, cojitranco, maloliente, que come cadáveres, se reproduce una vez al año y continuamente emite una risa característica.»

¿De qué coño se reía la hiena?

¿Sobre qué se podía bromear cuando la nevera de su imaginación había sido desenchufada y la que en un principio supuso que sería su fuente de inspiración vagaba por la playa mustia y cabizbaja?

Como fuente de inspiración, Salima Alzaidieri había resultado una mierda de musa.

Como mujer, se consumía a ojos vista y a menudo le asaltaba el temor de que cuando se alejaba de la playa nadando, lo hacía con la intención de no volver y convertirse en una nueva víctima de la Deepwater Horizon.

Asdrúbal Valladares había pasado por el duro trance de que le abandonaran tres mujeres, sus dos esposas y su joven amante, pero era lo suficientemente cínico como para aceptar que se lo había merecido, mientras que la traición del mastuerzo de Gordon Sullivan no admitía disculpas.

Engañar a una frágil mujer tan machacada haciéndole creer que se embarcaba en una heroica cruzada ecológica y no volviendo a dar señales de vida —ni de muerte— constituía una auténtica cabronada.

Y lo aseguraba alguien que sabía por experiencia propia de lo que hablaba, ya que los años de «retiro voluntario» en el culo del mundo le habían permitido reflexionar sin tapujos sobre su forma de comportarse con las mujeres.

Las había amado con la misma intensidad con que les había mentido, e incluso por aquel entonces solía preguntarse por qué demonios se acostaba con algunas que poco le importaban poniendo en peligro su relación con las que le importaban mucho.

El machismo llegaba a ser tan estúpido como la avaricia, puesto que su único objetivo era añadir cifras o nombres a una lista.

De haberle sido fiel a su primera esposa probablemente ahora sería un respetado académico que además habría sabido sacar adelante una hermosa familia, y de haberle sido fiel a la segunda se le consideraría un brillante novelista en la cresta de la ola.

Y lo más triste estribaba en que a menudo ni siquiera se acordaba de los nombres de aquellas por las que lo echó todo a perder. Ni de sus caras.

Tumbado sobre un colchón que aún olía al plástico en el que había estado envuelto y contemplando un techo del que cuatro toscos brochazos habían eliminado las viejas manchas que tan bien conocía, llegó a la conclusión de que lo mejor que podía hacer era estirar al máximo lo que quedaba de los cuarenta mil malditos dólares para alejarse luego mar adentro a la espera de que algún hambriento «tragapatas» lo arrastrara a las profundidades.

Odiaba la idea de convertirse en un montón de huesos o en un montón de cenizas y si alguien se lo tenía que comer más valía que fuera un hermoso tiburón que un repugnante gusano.

Cuando al fin consiguió que le venciera el sueño, sus intermitentes y desacompasados ronquidos desvelaron aún más a su vecina, que tuvo que optar por salir al porche, cerrar la puerta y sentarse a contemplar la inmensidad con el fin de no percibir otro sonido que no fuera el suave batir de minúsculas olas contra la arena de la playa.

Ni otro olor que el del mar.

Una espesa nube se había llevado consigo los millones de estrellas que solían hacerle compañía en noches semejantes, por lo que las tinieblas tan sólo se ensuciaban cuando el tenue haz de luz de un faro lejano barría por unos segundos el horizonte.

Oscuridad, insomnio y silencio eran poderosos vientos cargados de recuerdos amargos, dado que los alegres solían hacer su aparición a plena luz y en compañía de los seres queridos.

Semidesnuda sobre un banco de madera tan áspera que si se descuidaba le clavaba astillas en los muslos y contando mentalmente el tiempo que tardaría el faro en volver a lanzar su destello, no conseguía evitar preguntarse por enésima vez qué demonios había sucedido para que aquel en quien depositara su amor y confianza le fallara.

Dominando a la perfección inglés, francés, árabe y farsi no le había resultado difícil conseguir trabajo como traductora en una petrolera, con lo que se ganaba bien la vida, e incluso en ocasiones los esporádicos encargos de una editorial neoyorquina le permitían pagarse algún que otro capricho, pero pese a ello Gordon se había empeñado en que debían emigrar, y que para «empezar de nuevo» sin dejar a su mujer y a sus hijos en la indigencia tenía que conseguir mucho dinero.

Salima Alzaidieri había necesitado aquel tiempo, aquella soledad, aquella oscuridad y aquel silencio para llegar al convencimiento de que si Gordon la hubiese amado tal como ella le amaba, las cosas se habrían desarrollado de otro modo, ya que entre los dos ganaban lo suficiente como para que tres adultos y dos niños vivieran en Houston sin agobios.

Nada ciega más a una mujer que las palabras de un hombre ni nada ciega más a un hombre que los silencios de una mujer, pero las palabras habían dado paso a los hechos y no dejaba de plantearse por qué incomprensible razón le había enviado tan comprometedoras fotografías.

¿Qué necesidad tenía de mezclarla en un asunto tan turbio? La única respuesta que se le ocurría era que lo hubiera hecho con el fin de que alguien, no podía imaginar quién, lo descubriera y le siguiera el rastro imaginando que se habían fugado juntos y dándole la oportunidad de irse muy lejos, quizá en compañía de otra mujer.

Se trataba sin duda de un retorcido razonamiento, pero por muchas vueltas que le daba y muchas disculpas que buscara empezaba a ser la explicación más plausible al hecho de que se sentara en el porche de una mísera casucha de un villorrio dominicano aguardando un amanecer que cada día llegaba más cargado de decepciones y amarguras.

Tal vez la solución a sus problemas estribaba en regresar a Teherán, arrodillarse ante su padre pidiéndole perdón, soportar con resignación el castigo que quisiera imponerle por haber deshonrado a la familia casándose con un extranjero alcohólico y permitir que un negro velo le cubriera el rostro de por vida.

La otra solución menos dolorosa, el mar, la tenía ante los ojos.

13

Nadie sabía quiénes eran ni dónde se ocultaban los Bocco, dado que «preservar la intimidad» era una regla esencial entre quienes se dedicaban al arriesgado negocio de matar por encargo.

Bob Johnson la respetaba, pero respetar no era sinónimo de aceptar, por lo que llegó a la conclusión de que cometería un grave error si se limitaba a esperar que descubrieran su paradero cazándole como a un conejo.

Lo que tenía que hacer era obligarles a salir a la luz y dar la cara.

Les pondría un cebo y a su modo de ver no existía mejor cebo que la pieza a la que pretendían abatir y el lugar idóneo aquel que mejor conocía, y en el que habían preguntado por él: Las Vegas.

Aceptó por tanto la invitación de un casino de segunda categoría muy necesitado de que jugadores de renombre tomaran parte en su próximo torneo, y anunció que el día de su llegada estaba dispuesto a recibir a los medios de comunicación en la suite que solía utilizar en el Caesar Palace.

Quienes le conocían estaban al corriente de que, debido a una vieja superstición relacionada con sus primeros triunfos, cosa normal entre los jugadores, jamás se alojaba en otro hotel.

No obstante, llegó de incógnito con una semana de antelación a «la ciudad del juego» y aparcó de noche en el discreto garaje de uno de los innumerables chalés de Spring Valley, en los que solían residir los ejecutivos de los hoteles y casinos de un inmenso panal que vivía exclusivamente de prestar sus servicios a cuantos ilusos acudían a dejarse atrapar por la miel de una supuesta ganancia fácil.

También tenía por vecinas a algunas llamativas muchachas que por lo general «prestaban otro tipo de servicios».

Una de las ventajas de la capital mundial del juego era que cada cual se preocupaba de sus propios asuntos y nadie preguntaba a quién pertenecía o con qué nombre falso estaba inscrito cualquier chalé de la manzana, pese a que permaneciera deshabitado la mayor parte del tiempo.

Incluso la policía se mostraba mucho más interesada en evitar altercados callejeros en el centro y proteger a los turistas y los intereses de los casinos que en las idas y venidas de quienes habitaban en una urbanización de clase media alta.

Mientras no cometiera un delito grave, cada cual era libre de entrar y salir de su casa cuando le viniera en gana, dado que los horarios de quienes trabajaban en un lugar en el que ruletas y tragaperras hacían turno corrido solían ser muy poco ortodoxos.

Consciente de los graves riesgos que acarreaba su «segundo oficio», el precavido Bob, el Búho, contaba desde hacía años con cuatro refugios seguros: uno en Montana, otro en Las Vegas, el tercero en las afueras de Nueva York y el último en Amalfi.

Quien quisiera encontrarle el día que la suerte le diera la espalda tendría que remover muchas piedras, pero le constaba que los Bocco sabían hacerlo y estaba íntimamente convencido de que en cada nueva baza que jugara estaría poniendo sobre el tapete parte de su pellejo.

Por ello, como no podía permitirse el lujo de dar un paso en falso, hizo acopio de toda la información que fue capaz de proporcionarle el «agente» al que llevaba años pagando y cuando se supo lo suficientemente respaldado, se presentó sin previo aviso en el Cinco Ases y se encaminó sin prisas al reservado en el que todas las mañanas su propietario repasaba facturas y nuevos pedidos antes de dar la orden de que el local se abriera al público.

—¡Buenos días, Ryan! —saludó tomando asiento sin darle tiempo a alzar la cabeza—. ¿Para qué querías verme?

Ryan van Kirk figuraba en la lista de los doscientos mejores jugadores del circuito y pese a que jamás había ganado un torneo importante su amplio y acogedor local se había convertido en el punto de encuentro al que los ganadores acudían a celebrar sus victorias, los perdedores a lamentar sus derrotas y unos y otros a comentar jugadas, organizar timbas o compartir experiencias.

El póquer, como el golf, el tenis o tantas otras actividades humanas perfectamente prescindibles, llegaba a convertirse en una obsesión, sobre todo cuando a su alrededor se movía dinero.

Y en Las Vegas se movían millones.

—¿Yo? —fue la inmediata respuesta de quien fingió sorprenderse, pese a que no era tan buen actor como para merecer el aplauso de un maestro de la impostura en las mesas de juego—. ¿Para qué iba a querer verte...?

—No lo sé —fue por su parte la tranquila respuesta del recién llegado, que al sentarse había permitido que se le abriera la chaqueta hasta el punto de que se apreciara con absoluta nitidez la culata de su revólver—. ¡O tal vez sí! —añadió al poco como si acabara de recordar algo—. Tal vez querías que te enseñara la carta que ha escrito tu hija, en la que le cuenta a la policía que se marcha de casa porque no soporta que continúes abusando de ella.

La piel del rostro de Ryan van Kirk jugó a hacerle la competencia al color de las facturas que regaban la mesa, su mandíbula se desplomó como si le hubieran cortado los cables que la sostenían y su mano derecha comenzó a temblar como asaltada por un violento ataque de párkinson.

Tardó casi un minuto en conseguir balbucear como entre sueños:

—¿De qué coño estás hablando? Mónica es incapaz de contar una mentira tan espantosa.

—¡Querido Ryan...! —La helada respuesta venía acompañada de una cínica sonrisa—. Cuando una quinceañera se encuentra en un sótano frente a un encapuchado que le apunta con un treinta y ocho de cañón corto, es capaz de escribir todo lo que le dicten e incluso de acusar a su propio padre de pederasta. Pero no la culpes; culpa a quien traiciona a un amigo a sabiendas de que van a volarle la cabeza. —Hizo una corta pausa como para dejarle tiempo a que recapacitara sobre la situación antes de puntualizar—: Ahora ya sabes cómo se han repartido las cartas en esta mano.

—¿Qué es lo que buscas? —quiso saber tras un momento de indecisión el dueño del Cinco Ases casi a punto de echarse a llorar.

—Información —fue la serena respuesta del jugador.

—¿Qué clase de información?

—Toda la que puedas proporcionarme, porque de ello depende la vida de Mónica, que tan sólo tiene agua para dos días, y si me liquidan nadie le abrirá la puerta. —Alzó la mano en señal de juramento al añadir—: Pero te prometo que si soy yo quien acaba con los Bocco, la tendrás de vuelta en casa antes de una hora.

—¡Eres un hijo de la gran puta!

—No tenía ni idea de que fuéramos hermanos, pero procura calmarte, dime lo que sabes y los dos saldremos ganando.

Ryan van Kirk comprendió que no le quedaba otro remedio que colaborar, apoyó la mano en la mesa intentando que dejara de temblar, se secó una lágrima rebelde y al fin musitó:

—Trabajo para ellos desde hace cinco años, y por lo que sé les pagan para acabar contigo lo antes posible, lo cual me obliga a suponer que no les ha contratado alguien a quien desplumaras en una mesa de juego, ya que ese tipo de venganzas no suelen tener tanta prisa. Tal vez sepas mejor que yo de qué va todo este asunto.

—Aún no lo tengo claro, pero ése no es tu problema. ¡Continúa!

—Recibí una llamada pidiéndome que te localizara, en cuanto supe que participabas en esa mierda de torneo les avisé, y aunque normalmente residen en el extranjero tengo entendido que llegan mañana.

—¿De dónde vienen y a qué hora aterrizan?

—Nunca lo dicen y tengo la impresión de que no

utilizan líneas comerciales sino vuelos privados. ¡Ya sabes! Aviones de alquiler.

—¡Qué modernos! —no pudo por menos que exclamar un admirado Bob, el Búho—. ¿Cuántos son?

—Dos que yo sepa y siempre he tenido la extraña sensación de que forman pareja.

—¿Una pareja gay? —Ante la muda negativa insistió—: ¿Una especie de Bonnie y Clyde?

—Pero más listos; aquéllos eran un par de palurdos y éstos no suelen cometer errores.

—Intentar acabar conmigo será su último error —prometió su interlocutor seguro de sí mismo—. ¡Cuéntame todo lo que sepas sobre ellos! —Apuntó con el dedo a su oponente moviéndolo apenas arriba y abajo en lo que podía interpretarse como un claro gesto de amenaza—. Recuerda que lo que a mí puede costarme el pellejo, a ti te costará tu hija y mucho más, porque si la policía recibe esa carta, no sé cómo coño les vas a explicar que secuestré a Mónica porque eres el chivato de unos asesinos profesionales. ¡O sea, que sigue recordando!

—¡Ya lo hago! —se lamentó el otro—. ¿Acaso crees que no sé que estoy con la mierda al cuello? La vida de Mónica vale lo que cuatro de las mías.

—En eso estoy de acuerdo, ya ves tú. No me agradaría que muriera de hambre en un oscuro sótano, pero es la mejor arma que tengo para que no me liquiden. ¿Quién te puso en contacto con ellos?

—Un tipejo de San Diego con el que he jugado un par de veces. —No podía negarse que el dueño del local estaba intentando colaborar al máximo, aunque admitió, como dándose por vencido—: ¡Un tal Mike no sé qué! Uno que juega como el culo y le debe dinero a medio mundo.

—¿Un gordinflón que piensa una eternidad mientras no para de darle vueltas a la correa del reloj? —Como el otro asintiera, Bob Johnson pareció darse por satisfecho—. Es el mendrugo más negado que he conocido.

—Siempre había creído que tan sólo te dedicabas al póquer, pero ahora me da la impresión de que andas mezclado en otro tipo de actividades.

—La lengua te traiciona, Ryan, y acabarán cortándotela. Si sales con bien de ésta, cosa que dudo, ocúpate de tu familia y de tu bar y olvídate del resto; es un consejo gratuito y yo rara vez regalo nada. —El intruso meditó un par de minutos ante el ansioso silencio de quien estaba pendiente de cada una de sus palabras y tras asentir un par de veces ordenó, en el tono de quien se dirige a un subordinado—: Tienes uno de los garitos más concurridos de la ciudad, me consta que conoces a todo el mundo y que muchos te deben favores, por lo que te recomiendo que utilices a tus amigos y muevas todas tus influencias a la hora de localizar a ese par de bastardos, porque te recuerdo que a mí me basta con desaparecer mientras que tú lo pierdes todo.

14

Recordaba haber escrito:

La pesca se me antoja un maravilloso misterio, ya que
nunca sabes qué sorpresa te aguarda cuando lanzas el
cebo; puedes no sacar nada, que te aterrorice un congrio
o que captures un pez prodigioso.

La pesca es en cierta manera la emoción de la vida,
la aventura de averiguar qué existe bajo la inmensa superficie de un desconocido mundo que no estás viendo. La caza tiene un indudable atractivo, pero el misterio de la pesca es diferente porque resulta apasionante
no saber qué va a suceder, qué va a salir de las profundidades y si vas a encontrar o no respuesta a tus esperanzas.

El mar es un elemento mágico que siempre me fascina.

La fascinación continuaba siendo la misma medio
siglo más tarde, y acomodado en una roca, pendiente
de la roja boya que bailoteaba con las olas hasta que de
improviso se sumergía indicando que habían picado el
anzuelo, permitía que el tiempo se fuera alejando cada
vez más de aquellos maravillosos años en los que disfrutaba con sus hijos de una alegre y agotadora jornada
de sol, mar, amor y risas.

Se había comprado una hermosa motora que ama-
rraba en Cartagena de Indias y casi cada mes pasaban
una inolvidable semana en las islas del Rosario, que deberían haberse llamado «Rosario de Islas»; pese a que

en aquellos momentos no se diera cuenta, se trataron de los días más felices de su vida.

A su modo de ver, lo peor que tenía la felicidad es que pocos se daban cuenta de que se habían instalado en ella hasta que eran desalojados.

La auténtica felicidad nunca era una sensación, siempre un recuerdo.

Ahora el tacto de la caña y la vista de la boya le devolvían a la amarga realidad de que había tirado su vida por la borda de la misma forma que al caer la tarde arrojaban al agua las tripas de pescado.

Por aquel tiempo estaba escribiendo la saga *Bandeirante*, una serie de novelas sobre un célebre bandido brasileño, y el simple hecho de compartir la lancha con sus hijos, la mujer que amaba y aquella pléyade de fieros personajes de la jungla conseguía que todo pareciera perfecto. Y de hecho lo era.

Pero un buen día intentó que subiera a bordo alguien más y lo único que consiguió fue que la sobrecargada embarcación zozobrara.

Ahora se encontraba allí, ¡tan lejos!, cumpliendo la condena que le había sido impuesta y no tenía derecho a quejarse; lo que ganó y perdió lo hizo a conciencia.

Observó como a unos cien metros de distancia Salima Alzaidieri abandonaba la sombra de una palmera para introducirse en el agua y no pudo por menos que preguntarse qué culpa estaría pagando ella.

Menor que la suya sin duda, porque a la iraní la traicionó un extraño, mientras que él se había traicionado a sí mismo, lo que, amén de una grave falta, era sin duda una soberana estupidez.

En ocasiones intentaba justificarse achacando su situación a una larga racha de mala suerte, pero cuando le asaltaba uno de sus frecuentes «ataques de sinceridad» se veía obligado a reconocer que sus grandes errores eran hijos de pequeños errores que como diminutos trozos de metal imantado hubieran decidido unirse hasta formar una montaña que consiguió aplastarle.

Su patológica desidia le había hecho perder años atrás todo contacto con las mujeres que había amado y los hijos que había engendrado, hasta el punto de que ni tan siquiera conocía a sus nietos.

Un escritor cuya huella se limitaba a sobados volúmenes que ya tan sólo se encontraban en atestados mostradores de librerías de viejo no merecía haber recibido tanto por haber dado tan poco.

El talento era un don demasiado escaso y quien no hacía buen uso del que le había sido concedido merecía ser quemado en la hoguera de sus propios libros.

O sentarse a pescar en una roca, desahuciado por la vida y con las entrañas roídas por los recuerdos.

Hasta un mes antes siempre tenía una botella al alcance de la mano con el fin de celebrar cada captura con un trago —a mayor captura más largo el trago— y el hecho de que lograra apurar hasta la última gota de ron era señal inequívoca de que había pescado más que suficiente.

En un par de ocasiones había regresado a casa casi arrastrándose y dejándose atrás el saco y las cañas.

Por eso en aquellos momentos, al no contar con la agradable compañía de una botella con la que compartir los éxitos, el hecho de pescar durante tantas horas empezaba a resultarle terriblemente aburrido.

Pese a ello permaneció allí, aferrado a una caña que parecía ser su conexión con un pasado que jamás volvería, hasta que a media tarde hizo su aparición al final de la playa una frágil figura que avanzaba sin prisas agitando sonriente un gran sobre amarillo.

Recogió los aparejos, introdujo en el saco sus capturas y acudió a su encuentro en compañía de la iraní, que incluso desde lejos inquirió ansiosa:

—¿Traes noticias? ¿Se sabe algo del barco?

Cuando el minúsculo buceador llegó a su altura, extrajo del sobre varias fotografías que enarboló con una sonrisa de satisfacción.

—Yo siempre cumplo mis promesas, preciosa —dijo—. Éstos son los yates de más de sesenta metros matriculados en Panamá.

Salima Alzaidieri ni siquiera dudó en el momento de golpear con firmeza una de las fotos.

—¡Éste! —afirmó.

—¿Estás completamente segura?

Ante el gesto de asentimiento el buceador le dio la vuelta a la fotografía con el fin de leer lo que aparecía escrito en el reverso.

—El €&$, noventa y dos metros de eslora y quince de manga, propiedad de Eugene Sanick, nacido en Yugoslavia, nacionalizado estadounidense y con inversiones en innumerables empresas, la mayoría relacionadas con el petróleo.

—Era de suponer —no pudo por menos que comentar el colombiano.

—¿Acaso le conoces? —se sorprendió el otro.

—No, pero si realmente existe algo turbio en este asunto lo lógico es que quien se encuentra implicado tenga mucho que ver con el petróleo.

—¿Y se puede saber de qué «turbio asunto» se trata? —inquirió de forma casi automática Celso Castañeda, al que evidentemente se le había despertado la innata curiosidad que le había llevado a jugarse una y otra vez la vida en el fondo del mar.

Asdrúbal Valladares se limitó a encogerse de hombros mientras se acomodaba sobre el curvado tronco de una palmera que más parecía una interrogación que una exclamación y sin apartar la vista de la fotografía masculló:

—Pregúntaselo a ella, que es la protagonista de esta película.

—¿Qué me dices, «iraní de ojos de hurí»? —comentó con cierta sorna el Tesorero volviéndose a la aludida—. ¿Puede un humilde buceador dominicano ser partícipe de un secreto que empiezo a sospechar que tiene mucho tomate?

—¡Menos coña! —fue la agria y poco apropiada respuesta—. Asdrúbal te conoce hace años, mientras que yo tan sólo te he visto una vez y por lo tanto es él quien debe decidir si se puede o no confiar en ti.

—¡No vuelvas a escaquearte! —masculló malhumorado el colombiano, al que no le apetecía que le cargaran con semejante responsabilidad—. No he conocido a nadie con tanta habilidad para escurrir el bulto. Naturalmente que confío en Celso, pero dudo que le convenga saber más de lo que sabe.

—¿Y qué coño es lo que sé? —se sorprendió el aludido dejándose caer sobre la arena—. Me habéis pedido un favor y aquí está la respuesta, pero no tengo ni puñetera idea de por qué demonios os interesa tanto ese barquito de mierda.

—Puede que tenga algo que ver con el incendio de la plataforma petrolera del Golfo.

15

—Según BP, al fin han conseguido cerrar el pozo con cemento.

—Es lo que tendrían que haber hecho el primer día, pero son tan avariciosos que se empeñaron en recuperar el crudo, aunque no han conseguido atrapar ni la décima parte. —Eugene Sanick negó una y otra vez como si le resultara imposible aceptar que pudiera darse semejante grado de estupidez al concluir—: Han conseguido cuatrocientos mil barriles que venderán a ochenta dólares, pero por cada uno de los cinco millones que han vertido al mar les impondrán una multa de tres mil, o sea, que se trata del peor negocio de la historia. ¡Si serán cretinos!

—¿Y qué vamos a hacer ahora? —quiso saber Dan Kosinsky—. La gente suele tener mala memoria y las petroleras volverán a sobornar a los políticos con el fin de que les permitan continuar perforando en el Golfo.

—De momento procurar que «el humo de este incendio» flote en los medios de comunicación el mayor tiempo posible —fue la tranquila respuesta de quien parecía haber meditado a conciencia al respecto—. Y cuando el eco del desastre languidezca, le recordaremos a la gente que hace treinta años la plataforma

Ixtoc I de la Pemex derramó tres millones de barriles de crudo en la bahía de Campeche, o que tan sólo durante el año pasado se registraron ciento treinta incendios que se mantuvieron en secreto en las casi cuatro mil plataformas de la costa. Pero si aun así no obtuviéramos la reacción deseada, tendríamos que propiciar otro «incidente». —El dueño del €&$ agitó las manos como si tratara de desechar una mala idea al añadir—: Nada tan espectacular como lo de la Deepwater Horizon, pero lo suficientemente llamativo como para que obligue a la opinión pública a tomar conciencia de que el fondo del Golfo oculta un auténtico polvorín.

—¿Y estás convencido de que es así? —quiso saber su ex secretario y nuevo socio—. ¿Absolutamente convencido?

—Tan sólo los imbéciles están «absolutamente convencidos» de algo, querido Danny, y como no sé quién dijo hace ya mucho tiempo: «La duda es el agua que riega el árbol de la inteligencia.» Si nunca dudas, nunca analizas y por lo tanto nunca avanzas en la dirección correcta; los seres humanos han aprendido a sobrevivir en la tierra, en el mar y casi en el aire, pero nunca han sabido hacerlo en sales movedizas.

—¿Realmente te preocupa tanto?

—¡Hasta cierto punto! —admitió el otro—. Lo único que me preocupó durante los últimos años fue hacer feliz a Georgia, por lo que desde el día que murió no he vuelto a tener preocupaciones; sólo ambiciones. —Buscó un cigarrillo, lo encendió sin mirar a su acompañante y mientras lo hacía comentó—: Aunque reconozco que últimamente ese maldito Johnson me molesta un poco. ¿Se sabe algo de él?

—Que va a participar en un torneo en Las Vegas, o

sea, que espero que dentro de tres días el problema haya quedado resuelto.

—Eso estaría muy bien, aunque yo no soy tan optimista. —«€&$» intentó conseguir que el humo hiciera círculos, pero al poco desistió de su empeño para comentar—: Y ahora vayamos a lo que importa, porque quiero que tengas muy claro lo que deberás hacer el día que yo falte.

—Ni lo menciones —le rogó su socio y discípulo.

—¿Por qué? Me temo que no llegaré a ver el final de esta partida de Monopoly, pero me produce una gran satisfacción jugarla. —Se advertía que Eugene Sanick estaba siendo sincero, hizo un postrer intento con los anillos de humo, lanzó un reniego y continuó—: Lo esencial es conseguir que los Gobiernos de Estados Unidos y México se rindan a la presión pública, porque en ese caso nos enfrentaremos a una interesante pregunta. —Sonrió de oreja a oreja al inquirir con marcada intención—: ¿Cuál es el único país que queda cuyas costas se encuentran bañadas por las aguas del Golfo?

Tras meditar unos instantes, su interlocutor respondió:

—Cuba.

—Aprobado en geografía. Y sus dirigentes se pasan por la entrepierna lo que opinen sus ciudadanos y la comunidad internacional; se trata de un régimen que se desmorona, pero tan corrompido o más que cualquier otro, por lo que ya ha firmado cuatro contratos gracias a los cuales la €&$ Oil Company ha adquirido permisos de explotación de yacimientos a gran profundidad en las aguas de su costa norte, que es la que cierra el Golfo.

—Muy callado te lo tenías.

—En ciertos casos no conviene que tu mano derecha

se entere de lo que hace la izquierda, aunque esa mano derecha sea alguien tan digno de confianza como tú.

—O sea, ¿que has estado jugando con dos barajas?

—Siempre, querido Danny. ¡Siempre! Es la única forma de no perder; cuando hayamos conseguido que los precios suban lo suficiente recibiremos esos dos dólares por barril, pero si la maniobra fallara seríamos los únicos autorizados a extraer petróleo del golfo de México.

—¿Se puede hacer algo así? —se sorprendió el otro.

—Cuando intervienen los políticos cubanos, se puede hacer cualquier cosa, incluso fusilar inocentes, dejar morir de hambre a presos o convertir la isla en un inmenso prostíbulo; lo único que les importa a esos malnacidos es el dinero y que no salgan a la luz sus escándalos.

—Pero te recuerdo que aunque los contratos fueran válidos y los cumplieran, cosa que dudo, no estamos en condiciones de extraer ese petróleo —señaló con muy buen juicio Dan Kosinsky—. La €&$ Oil Company tan sólo es una empresa fantasma sin la tecnología que se requiere a la hora de perforar a semejantes profundidades.

—¡Ni falta que le hace! —fue la desvergonzada respuesta—. Lo único que tenemos son contratos sobre cuatro zonas muy concretas de la costa cubana, pero en dichos contratos figura una cláusula que especifica que ninguna empresa tendrá derecho a perforar en la región hasta pasados seis meses desde que hayamos comenzado a hacerlo nosotros. —Eugene Sanick aplastó lo que quedaba de cigarrillo en el cenicero al remachar—: Y no se fija fecha límite para que comencemos a trabajar.

—¡No es posible! ¿Has conseguido que alguien firme esos contratos?

—Diez millones de dólares depositados en las islas Caimán suelen hacer posible lo imposible. Cuando llegue el momento, las petroleras pagarán lo que pidamos por transferírselos, y lo harán por dos razones: la primera porque les permitirán perforar, y la segunda porque les impiden perforar.

—¡Aún me queda mucho que aprender! —admitió el otro, al que se advertía sinceramente fascinado.

—No tiene mérito porque, como diría Georgia, me dedico a jugar al Monopoly sin importarme ganar o perder. Cuando nada te importa, incluso el dinero carece de valor.

—Confío en que no estés arriesgando mi diez por ciento —señaló su nuevo socio con una leve sonrisa.

—¡Eso ha estado bien, sí, señor! —admitió el propietario del palacio flotante sonriendo a su vez—. ¡Muy bien! Y si admites un consejo, cuando llegue el momento, invierte tus ganancias en agua o alimentos, no en energía.

—¿Y eso? —se extrañó el otro—. Has hecho tu fortuna con la energía.

—Pero expuesto siempre a incontrolables vicisitudes... —Había una clara doble intención en las palabras de Eugene Sanick al señalar—: ¡Fíjate en el caso de BP! Una de las empresas líderes del sector se encuentra a punto de quebrar por culpa de un simple accidente.

—¡Tanto como «accidente»! —protestó entre molesto y divertido el otro—. Nos lleva costados casi veinte millones.

—Todo lo que no está previsto es siempre un «accidente», lo provoque lo que quiera o quienquiera que lo provoque, mi queridísimo Danny. Y la historia nos enseña que demasiado a menudo los accidentes se deben a mala intención o negligencia humana. —«€&$» adelantó la mano con la palma extendida como pidiendo tiempo para tomar aire e insistió—: Los incendios que asolan Rusia han alcanzado la zona contaminada por la catástrofe nuclear de Chernóbil, afectando a casi cuatro mil hectáreas de terreno. Aquel desastre, equivalente a la explosión de quinientas bombas atómicas, fue causado por la negligencia de unos técnicos, mientras que los actuales incendios se deben al calor, la sequía y sobre todo a la ineptitud de Putin, que despidió a los guardabosques encargados de prevenirlos. Si el fuego alcanza las cenizas radiactivas, el viento las extenderá por media Europa provocando nuevas muertes y enfermedades, con lo que la opinión pública volverá a ponerse en contra de las centrales nucleares. ¿Me sigues?

—Creo que sí; creo que intentas hacerme comprender que éste es un negocio en el que el fiel de la balanza oscila demasiado.

—No es una balanza, querido, es una veleta. De pronto cambia el viento, aumenta la sequía, la tierra se recalienta, prende la hojarasca, arden los bosques rusos, que son aún más extensos que los amazónicos, el fuego amenaza sus plantas nucleares o sus gaseoductos, con lo que se interrumpe el suministro a una central de ciclo combinado europea, que deja de producir arrastrando consigo a la red y provocando un colapso energético que sume a un país en el caos. ¡No vale la pena! —concluyó—. A no ser que estés dispuesto a pasarte catorce horas diarias analizando datos, no compensa y te aconsejo que disfrutes de la vida, porque soy el mejor ejemplo de que en ocasiones todo el dinero del mundo no sirve para nada.

Aquélla era una verdad indiscutible, puesto que se encontraba feliz y «disfrutando de la vida» en la piscina de su portentoso barco en el momento en que Georgia se lanzó al agua completamente desnuda, le pellizcó las nalgas y tras plantarle un sonoro beso en los labios comentó:

—Le he pedido al capitán que lo disponga todo para zarpar.

—¿Y adónde vamos, si es que puede saberse?

—A enseñarte mi tumba.

—¡Por Dios! —protestó, advirtiendo que se le revolvía el estómago y el corazón le daba un vuelco—. ¡Ésas no son bromas, Georgia! ¡Hazme el favor y no te pases!

—No me paso, cariño —fue la dulce respuesta, acompañada como de costumbre por una arrebatadora sonrisa—. Vengo de la clínica, donde me han confirmado que muy pronto me reuniré con el bueno de Job.

—¿Y dónde está ese Job?

—En el vientre de una ballena.

—¿Pero de qué demonios hablas? —protestó «€&$» casi al borde de un ataque de nervios—. El que estaba en el vientre de una ballena era Jonás, no Job; Job fue uno que llegó a santo porque tenía casi tanta paciencia como la que me obligas a derrochar contigo.

—¡De acuerdo! —admitió ella como quien le da la razón a un niño—. No vamos a discutir por un par de letras más o menos; lo que pretendo decirte, y no quiero que te lo tomes como algo personal, es que me han detectado un tumor muy maligno.

Eugene Sanick sufrió un vahído, estuvo a punto de

perder el conocimiento y tal vez si su mujer no lo hubiera sujetado se habría ahogado pese a la escasa profundidad de la piscina.

Poco después, sentado en un escalón, incapaz de reaccionar e incluso de pronunciar una palabra, lo único que podía hacer era escuchar como entre sueños a quien le acariciaba el cabello mientras decía:

—¡Tranquilo, osito de peluche! He sido una mujer privilegiada; he tenido una infancia feliz, padres encantadores, dos maridos maravillosos, palacios, yates, coches, joyas, aviones... —Su expresión denotaba que en verdad estaba convencida de lo que decía y no se la advertía en absoluto triste o amargada—. Todo ha sido perfecto y ahora, cuando comenzaba a marchitarme, me dan un preaviso con dos o tres meses de antelación para que pueda hacer un discreto mutis por el foro. ¿Qué más puedo pedir?

—¿Es que te has vuelto loca? —consiguió balbucear él.

—¿Ahora te enteras? —Le ayudó a salir del agua tambaleándose como si el enfermo fuera él, y le acomodó en la enorme hamaca que siempre compartían mientras comentaba—: Y te advierto que no pienso permitir que me abran en canal o me dejen hecha unos zorros con todas esas putadas de quimioterapia, radioterapia o «tocaloscojones» terapia. —Le colocó el dedo índice sobre los labios al señalar—: No quiero oír ni una queja, ni un llanto ni un lamento; tiempo tendrás de explayarte cuando me haya ido, pero no estoy dispuesta a que me amargues lo que queda de fiesta.

—¡Me pides demasiado! —casi sollozó su marido.

—Querido mío —le hizo notar ella—. Hasta ahora únicamente te he pedido coches, palacetes o robots submarinos; «baratijas» que solucionabas con un cheque, pero ahora te ha llegado la hora de dar la talla, echarle un par de huevos al asunto y no derramar ni una lágrima.

En los días que siguieron se mostró tan inflexible al respecto que «€&$» se veía obligado a ocultarse en cualquier rincón del barco llevando pañuelos desechables y un frasco de colirio con el fin de que Georgia no advirtiera que había llorado.

Seguía siendo la misma imprevisible inconsciente, siempre dispuesta a contar chistes, bailar sobre la mesa o gastar bromas, hasta el punto de que incluso una perpleja tripulación que llevaba muchos años a su servicio acabó por abrigar la extraña impresión de que una disparatada comedia y un terrible drama se habían instalado al mismo tiempo a bordo de la nave.

Por fin, fue el siempre respetuoso y circunspecto capitán quien no se sintió capaz de soportar por más tiempo la tensión e inquirió sin tapujos:

—Perdone el atrevimiento, señor, ¿se encuentra enfermo?

—No, Harry, no —le replicó Sanick—. Yo estoy bien, es que Georgia se me muere.

El pobre hombre no dijo una sola palabra y se encerró en su camarote a llorar desconsoladamente.

Al amanecer del día siguiente se encontraban fondeados frente a un diminuto islote y cuando Eugene Sanick acudió a cubierta, reclamado por su esposa, ésta se lo mostró con expresión de orgullo.

—¡Mira, cariño! —exclamó—. El peñón de la Ballena. ¡Fíjate bien! ¡Por allí resopla! ¡Es *Moby Dick*, la ballena blanca!

En efecto, resoplaba, y desde el punto en que se encontraban, a poniente y con el sol surgiendo en el horizonte, la ilusión óptica era perfecta, pues el árido islote semejaba una enorme ballena que de tanto en tanto lanzara al aire un chorro de agua.

—¿Cómo es posible?

—¡Magia! Vamos a verlo y entenderás en qué consiste el truco.

Desembarcaron en una tranquila playa de sotavento y al alcanzar el punto más alto del islote, que no superaba los treinta metros, se abrió bajo ellos, en la costa abierta a barlovento, un negro acantilado contra el que batían largas olas que provenían de la inmensidad del Atlántico.

Tras miles de años de penetrar violentamente en una profunda cueva y reventar hacia lo alto, el mar había acabado por horadar el techo, con lo que el agua se elevaba a casi diez metros de la superficie en un fenómeno que en algunos lugares acostumbraba a llamarse «hervidero» o «bufadero», y allí confería al diminuto peñasco el aspecto de un enorme cetáceo.

El ruido era ensordecedor no sólo por el golpear de la ola, sino debido a que tanto al entrar como al salir de la cueva el agua arrastraba hacia uno u otro lado grandes cantos rodados que chocaban entre sí o contra las paredes del acantilado.

—Lo descubrí hace unos veinte años —señaló ella—. Ahora tenemos que esperar a que baje la marea.

Cuando, casi al mediodía, el mar se retiró y cesaron las olas y el estruendo, Georgia pidió que lanzaran una escala de cuerda por el hueco del suelo, que apenas tenía dos metros de diámetro, y le invitó a descender hasta el punto en que unas aguas ahora tranquilas apenas les llegaban a la cintura.

Era como si se encontraran en el interior de la bóveda central de una grandiosa catedral de más de diez metros de altura iluminada por un único rayo de sol que penetraba verticalmente.

El mar, transparente hasta el punto de que se distinguían minúsculos cangrejos que correteaban por el fondo, se reflejaba en las paredes tiñéndolas de un azul verdoso, mientras que a medida que el sol se iba moviendo cambiaban las sombras de los salientes de roca, lo que obligaba a imaginar que se trataba de fantasmas que se arrastraran lentamente.

El viento que llegaba del océano salía por el techo cantando a veces como el órgano de un cíclope.

Los dioses del mar moraban allí dentro.

Asombrado, Eugene Sanick lo observaba todo boquiabierto, y cuando Georgia le cogió de la mano y le indicó una ancha grieta que se abría en la pared, a unos tres metros sobre sus cabezas, llegó a la conclusión de que en realidad no estaba tan loca como siempre había supuesto.

—Ahí dentro quiero descansar para siempre —dijo—. Y en un ataúd de acero tan bien sujeto que consiga pasar el resto de la eternidad en mi propia catedral escuchando el retumbar de las olas o la música del viento. ¿Me enterrarás aquí?

—Lo haré si me permites acompañarte.

Ella le observó de medio lado, frunció el ceño, hizo una de sus cómicas muecas, y al fin movió la cabeza dubitativamente.

—¡No sé, no sé! —masculló—. Roncas mucho, pero te aceptaré más adelante; de momento quiero pasar a solas algunos años.

16

Probablemente Asdrúbal Valladares había perdido su talento como escritor, pero continuaba dominando algunos de los trucos del oficio y manteniendo una sorprendente habilidad a la hora de recabar información de las fuentes más insospechadas.

Cierto que siempre había afirmado que la imaginación es como un miembro que peor funciona cuanto menos se usa, pero eso poco tenía que ver con su innata capacidad de investigar o relacionar entre sí acontecimientos que a ningún otro se le hubiera ocurrido relacionar; por eso, el día que Celso Castañeda fue a visitarles movido por la curiosidad que le dominaba desde que le pusieron al corriente de cuanto creían que había ocurrido en torno al derrame de petróleo, comentó:

—El tal Eugene Sanick sería el candidato idóneo para haber organizado el dichoso atentado, puesto que se trata de un redomado cabronazo de colmillo retorcido, capaz de trocear viva a su madre y vender sus órganos para trasplantes. —Se encogió de hombros al tiempo que alzaba las manos con las palmas hacia arriba, en clara demostración de que no entendía las razones por las que estuviera implicado en semejante desastre—.

Pero no le encuentro lógica a sus actos y eso me pone de muy mala leche. ¿Qué coño espera ganar jodiendo de ese modo a miles de personas si no tiene hijos, ni familiares ni amigos y se lo deja todo a una fundación científica sin fines lucrativos? Obliga a pensar en un santurrón altruista y no en un maldito especulador que confía en obtener aún más beneficios —insistió desmoralizado—. Os juro que cuantas más vueltas le doy, menos lo entiendo.

—Tan sólo se me ocurre una explicación... —señaló Salima Alzaidieri—. Que en realidad Gordon nunca subiera a ese barco.

—¿Y de dónde sacó el famoso bolígrafo?

—Se lo daría alguien que había estado a bordo; tal vez su amante, y fue por eso por lo que se mostró tan nervioso cuando se lo pregunté.

El escritor no pudo por menos que lanzarle una mirada con la que pretendía fulminarla al comentar:

—No es por nada, querida, pero a menudo me dan unas ganas locas de retorcerte el pescuezo.

—Y a mí de que me lo retuerzas —admitió ella.

—¡Un momento! —intervino en tono divertido el Tesorero alzando los brazos como si se interpusiera entre ambos—. Dejaos de «romanticismos» que no vienen al caso y no tiremos la toalla; no siempre la gente actúa por dinero y puede que se trate de una venganza.

—Ya lo había pensado al comprobar que ese tipo ocupó anteriormente un alto cargo en la British Petroleum —admitió de mala gana Asdrúbal Valladares—. Sin embargo, me he puesto en contacto con gente que le conoce bien y que me asegura que tan sólo vive para los negocios y el recuerdo de su esposa, lo cual no corresponde con el perfil de un psicópata ansioso de vengarse de una empresa que abandonó por propia voluntad hace ya más de veinte años.

—Entonces, ¿a qué diablos crees que juega?

—¡Ni idea! A veces tengo la impresión de que perseguimos a una especie de fantasma, porque el único objetivo de la Fundación Georgia Wallis es la investigación, y no parece probable que obtenga ningún beneficio por el hecho de que el mar se contamine, miles de animales mueran o los pescadores se arruinen.

—¿No te estarás refiriendo a los «Picapiedra»? —quiso saber un sorprendido Celso Castañeda.

Quienes compartían las botellas de cerveza helada y la enorme bandeja de cangrejos, almejas, gambas y calamares que había traído consigo el dueño del restaurante le observaron perplejos.

—¿Los «Picapiedra»? —repitió la iraní—. Ahora que me fijo, te pareces a Pablo Mármol, pero no creo que tenga nada que ver con esto.

El hombrecillo no pudo por menos que sonreír, aceptando de buen grado la comparación, al tiempo que le aclaraba:

—Los «Picapiedra» es el mote con el que se conoce por aquí a una panda de chiflados que se pasan la vida buceando al pie de los acantilados, adentrándose en las cuevas o comprando pedruscos; yo ya les he vendido varios.

—¿Qué clase de pedruscos?

—Los que encuentro durante mis inmersiones; cuando pesan mucho, les gustan, pagan muy bien y les tengo que hacer una factura a nombre de la Fundación Georgia Wallis.

—¿Y para qué demonios los quieren?

—¡Ni puta idea! —admitió el marido de la Valquiria.

—¡Pues sí que estamos buenos! O sea, que le vendes una piedra a alguien ¿y no le preguntas para qué la quiere?

—¿Se lo preguntarías tú, mendrugo? —fingió indignarse el otro—. Mi trabajo consiste en encontrar pistas que puedan conducirme a un barco hundido al que ya han cubierto los corales, las rocas o la arena, y como llevo tanto tiempo en el oficio puedo darme cuenta de cuándo una simple piedra no está en consonancia con cuantas la rodean. La recojo, si me da la impresión de que pesa más de lo normal por su tamaño, se la llevo y si les interesa me la pagan. ¡Punto!

—¿Y nunca has sentido curiosidad?

—¡Desde luego! Pero si me dedico a preguntar corro el riesgo de que se me acabe el negocio, porque me consta que no les gusta que metan las narices en unos asuntos en los que no hacen daño a nadie, visto que no trafican con drogas, armas, mujeres o inmigrantes ilegales. —Golpeó la mesa con la mano abierta, como si con ello diera por finalizado un tema que no admitía discusión—: Tan sólo compran piedras, y que yo sepa eso no es delito.

El escritor tardó en responder no a causa de la larga perorata, sino debido a que le desquiciaba el hecho de no entender los motivos por los que alguien estuviera dispuesto a legar fortunas a una estúpida fundación que las derrochaba en comprar piedras.

Paseó la vista por la playa y llegó a la conclusión de que, en menos de un kilómetro cuadrado alrededor del porche en que disfrutaban del improvisado almuerzo con que les había obsequiado el buceador, existían rocas suficientes como para acabar con cien herencias multimillonarias.

Debía de tratarse por tanto de piedras muy especiales, pero no podía por menos que preguntarse qué tendrían de especiales unas piedras por muy pesadas que fueran.

Aquella absurda historia cada vez se le antojaba más absurda, lo cual hería profundamente su «orgullo profesional», porque a lo largo de su vida había escrito novelas en las que el misterio formaba una parte esencial de la trama, pero jamás se le hubiera pasado por la cabeza la idea de que simples rocas constituyeran un misterio en sí mismas.

—Continúo sin entender nada —se vio obligado a admitir malhumorado—. Si se tratara de fósiles, intentaría buscarle una explicación, pero al tratarse de simples rocas...

—También compran fósiles —se apresuró a señalar el escuálido esposo de la Valquiria—. Pagan menos, pero también compran algunos.

—¿Pagan menos por un fósil que por una roca? —intervino Salima Alzaidieri, que tampoco parecía tener las ideas claras—. ¡Eso es absurdo!

—¡Y tanto! Conozco a un pescador de Samaná que les ofreció un fósil de los dientes de un tiburón enorme que tenía por lo menos cien millones de años, pero no lo compraron «porque no perdían su tiempo estudiando algo tan viejo, y menos aún si se trataba de tiburones».

La expresión de la iraní mostró a las claras un desconcierto que rayaba en la estupefacción al comentar:

—Nunca me han preocupado los fósiles, bastante tuve en mi juventud con los malditos ayatolás que destrozaron mi país, pero por muy ignorante que sea imagino que cuanto más antiguos, mejor... ¿O no?

—¿Y a mí qué me preguntas? —se defendió el otro.

Asdrúbal Valladares hizo un gesto hacia la caracola que utilizaba para mantener entreabierta la ventana al comentar, no demasiado convencido:

—Eso es un fósil que encontró Ágata cuando intentábamos localizar los restos de la *Santa María*. ¿Lo comprarían?

El buceador extendió la mano, lo levantó y lo examinó con atención antes de comentar:

—Pesa mucho y eso es bueno; puede que te ofrezcan quinientos dólares si les indicas el punto exacto en que apareció.

—En la desembocadura de un arroyo, al pie de Cabo Haitiano, pero lo que me interesa no es el dinero, aunque siempre viene bien, sino averiguar para qué quieren esas piedras. —El escritor hizo una corta pausa antes de añadir a modo de aclaración—: Como no tengo nada más que venderles no me importará que me manden al diablo. ¿Dónde puedo encontrarlos?

—¡Cualquiera sabe! Yo guardo las piedras que encuentro hasta que aparece su barco. —Hizo un gesto hacia el final de la playa al añadir—: Alguna vez lo habrás visto fondeado en la ensenada: el *Meteor*, un velero blanco, de unos treinta metros de eslora, aunque de meteoro no tiene nada, ya que normalmente navega costeando y a paso de tortuga...

Se interrumpió porque el colombiano le había hecho un gesto pidiendo que guardara silencio, se llevó el dedo índice a la frente como queriendo indicar que había tenido una idea y, tendiéndose en el banco de madera, apoyó la nuca en el muslo de Salima Alzaidieri y se quedó mirando fijamente el techo.

—Pero ¿qué coño haces? —inquirió ella, molesta

ante un exceso de confianza tan poco apropiado y tan inusual en él.

—¡Perdona! Es que pienso mejor cuando estoy acostado. Dame un par de minutos. ¡Guardad silencio sólo un par de minutos, por favor!

Sus dos acompañantes cruzaron una mirada con la que pretendían darse a entender el uno al otro que no debía de estar bien de la cabeza, se encogieron de hombros y se dedicaron a trasegar gambas hasta que Celso Castañeda no pudo soportar por más tiempo su silencio y se inclinó con el fin de mirarle por debajo de la mesa.

—¿Qué? —inquirió—. ¿Vas a parir pronto alguna chorrada o tendremos que esperar nueve meses?

—Te recuerdo que en el mundo hay más personas que buenas ideas, lo cual quiere decir que no suele aparecer una buena idea cada nueve meses —fue la humorística respuesta de quien, volviendo a tomar asiento, le arrebató la gamba que tenía en la mano y se la metió en la boca—. Sin embargo... —añadió al poco—, se me ocurre que es muy posible que ese barco, que en efecto he visto en varias ocasiones, no se llame *Meteor* debido a su velocidad, que es lo que tú has supuesto, sino debido a que a lo que en realidad se dedica es a buscar meteoritos.

—¿Y qué es lo que te hace pensar que se trata de meteoritos? —intervino la iraní mientras se sacudía el muslo en el que había estado apoyado.

—El peso.

17

Las Vegas estaba considerada una ciudad de paso, en la que la mayoría de las estancias de los visitantes apenas superaban los cinco días, pero Ryan van Kirk conocía a muchos de los que residían de forma permanente, y sobre todo a quienes estaban al corriente de cuanto había sucedido, sucedía o sucedería en la enloquecida meca de las tragaperras.

Funcionarios, taxistas, aduaneros, recepcionistas, *maîtres*, jefes de sala, prostitutas, alcahuetas, macarras, chivatos y «pastores» de los que a diario «casaban» en pintorescas y ridículas ceremonias a docenas de parejas, tan borrachas que apenas podían mantenerse en pie, eran bien recibidos en el Cinco Ases siempre que no trajeran drogas, estricta norma que no se imponía por cuestión de moralidad, sino porque su propietario estaba advertido de que era la única razón por la que la policía le clausuraría un local en el que casi todo lo demás se permitía.

En sus mesas se sentaban a menudo rutilantes estrellas de la baraja cuyas fotografías abrazando premios de un millón de dólares decoraban las paredes, por lo que no era cuestión de ensuciar tan buena imagen por culpa de unos gramos de coca.

Ryan van Kirk pregonaba muy alto que de puertas para fuera el mundo era ancho y libre, por lo que cada cual podía hacer con «su mierda» lo que le viniera en gana, pero el lugar que estaba considerado como primigenia e inimitable «catedral del póquer» era suelo sagrado.

A los fulleros no se les prohibía la entrada; se les invitaba a que se fueran si no querían que se les machacara los dedos con un bate de béisbol, porque aquél no era lugar para hacer trampas, sino para aprender a engañar al contrario de una forma sutil, inteligente y educada.

Como solía suceder con demasiada frecuencia, la frontera que separaba el «deporte» del «negocio» resultaba casi invisible, pero aunque costara creerlo entre aquellos muros se respetaba.

Por ello, desde el momento en que Ryan van Kirk insinuó que necesitaba localizar a una pareja de timadores que llegarían al día siguiente con intención de montar una sucia estafa, que dejaría en entredicho el buen nombre de muchos respetables jugadores del circuito, hasta el último aparcacoches se puso a sus órdenes.

En cualquier otra circunstancia unos profesionales con la notable experiencia de los Bocco hubieran conseguido continuar pasando tan desapercibidos como lo habían hecho durante los últimos años, pero en esta ocasión habían tenido la mala suerte de aterrizar en una ciudad hostil y prevenida en la que miles de ojos permanecían alerta y miles de oídos atentos al más mínimo detalle que delatara su presencia.

Gracias a ello, cuando a media tarde Bob, el Búho, llamó a Ryan van Kirk, éste se encontraba en condiciones de proporcionarle la mayor parte de los datos que había solicitado.

—Un hombre y una mujer cuyos pasaportes figuran a nombre de Nelson y Nora Garrett aterrizaron sobre las once como únicos pasajeros de un reactor proveniente de Costa Rica que ha quedado esperando —dijo—. Uno de mis contactos observó como ella marcaba un número desde un teléfono público del aeropuerto en el justo momento en que yo recibía una llamada de una mujer que decía hablar en nombre de los Bocco, preguntándome si ya habías llegado a la ciudad.

—¿Y qué le dijiste?

—Que en el Caesar Palace te esperan mañana.

—Empiezas a hacer bien las cosas —admitió—. ¿Qué más?

—En contra de lo que suele ser habitual cuando se trata de clientes que viajan en aviones privados, no les recogió la limusina de uno de los hoteles de lujo porque tenían un todoterreno negro, probablemente blindado, aguardando en el párking. Se hospedan en el Fiesta Henderson, que se encuentra relativamente cerca del aeropuerto, justo en el cruce de autopistas que van de norte a sur y de este a oeste. Es el lugar perfecto para desaparecer en casos de apuro, por lo que apostaría mi resto a que son ellos.

—Espero por tu bien, y por el de tu hija, que ganes esta mano.

—Si me proporcionas un correo electrónico, te enviaré las fotos que mi gente ha conseguido obtener en el aeropuerto, la matrícula del coche e incluso los planos del hotel.

—Dentro de cinco minutos recibirás un mensaje con una dirección a la que puedes mandarlos y desde allí me los reenviarán.

—Tú siempre tan prudente.

—¡Siempre! Y por ello sigo vivo. Ahora voy a colgar; espero que cuando vuelvas a saber de mí sea para indicarte dónde recoger a Mónica.

Antes de un cuarto de hora recibió la información prometida y pudo comprobar que el Fiesta Henderson era, en efecto, el refugio que él mismo habría elegido de haber tenido que realizar aquel «trabajo».

Los Bocco parecían ser conscientes de que a la hora de cometer un delito en Las Vegas resultaba esencial disponer de vías de escape en la periferia del casco urbano, debido a que la policía no estaba en condiciones de bloquear en cuestión de minutos todas sus salidas.

La mayoría de sus coches patrulla se concentraban en el área de los casinos, en plazas y avenidas por las que desde la puesta del sol hasta casi las tres de la mañana pululaba una marea humana constituida por visitantes decididos a divertirse, y carteristas, chulos, chaperos y prostitutas decididos a ganar unos dólares a costa de los turistas.

Agradeció por tanto que se le facilitara la tarea, ordenó a su «agente» que telefoneara a los organizadores del torneo disculpando su asistencia, ya que había perdido vuelos de conexión debido a que el aeropuerto de Moscú estaba cerrado por culpa de los incendios forestales, y le rogó encarecidamente que al amanecer le comunicara a Ryan van Kirk dónde podía encontrar a su hija.

A continuación recogió todas sus pertenencias porque le constaba que jamás volvería a aquella casa, del mismo modo que jamás volvería a ser Bob, el Búho.

Sabía a ciencia cierta que aunque las cosas salieran bien y consiguiera eliminar a aquel par de malnacidos era un hombre marcado y siempre existirían otros «Bocco» dispuestos a acabar lo que habían empezado, porque quien había enviado a los perros de presa en su busca no cejaría en su empeño.

Como el «número de contacto» de sus «patrocinadores» continuaba sin responder consideraba que el contrato que les unía había sido anulado, por lo que moralmente ya no se veía en la obligación de acabar con el escurridizo Gordon Sullivan o seguirle la pista a su amante iraní.

Una etapa de su vida durante la que había hecho cuanto le había venido en gana y además había ganado millones llegaba a su fin y era el momento de pasar página.

Aceptaba de buen grado que las mesas de póquer y las muertes por encargo quedaran para siempre atrás, pero no estaba dispuesto a tolerar que un par de desgraciados, por muy profesionales que fuesen, creyeran que no era digno de su fama.

Quien osaba rugirle al oso en su cueva se arriesgaba a que le arrancaran las tripas.

Bajó al sótano, desde el otro lado de la puerta le gritó a la muchacha que no tuviera miedo, ya que muy pronto su padre acudiría a recogerla, y subió a un coche que aparentemente no era más que un vulgar chevrolet azul con matrícula de Nevada, pero cuyo motor había sido modificado con tanta habilidad que se hacía necesario repasarlo al milímetro para descubrir que en un momento dado superaba los trescientos kilómetros por hora.

Reforzado en su parte baja por planchas de plomo distribuidas de tal forma que mantenía el centro de gravedad muy bajo facilitando su conducción a gran velocidad, el asiento trasero ocultaba un depósito adicional que le permitía recorrer grandes distancias sin necesidad de repostar.

Aquel vehículo era en realidad una «herramienta de trabajo» de la que tal vez dependería su vida y cuanto gastaba en él podía considerarlo bien invertido.

Comenzaba a oscurecer cuando abandonó un garaje al que nunca volvería y se encaminó sin prisas al Fiesta Henderson, a cuyo inmenso aparcamiento al aire libre llegó quince minutos más tarde.

No le costó localizar el vehículo de los Bocco, buscó un puesto libre en un punto ante el que necesariamente tendrían que pasar quienes salieran del hotel en dirección al todoterreno, echó el asiento hacia atrás y se tumbó cara al techo, al que había fijado por medio de una ventosa un espejo de cuatro caras que le permitía ver a quien se aproximara desde cualquier ángulo.

Las mejores virtudes de un cazador seguían siendo un buen puesto de observación y mucha paciencia.

Durante las dos horas siguientes apenas movió un músculo, por lo que ni el observador más atento hubiera sido capaz de descubrir que en aquel tranquilo aparcamiento existía otra presencia humana que el esporádico tránsito de quienes iban y venían entre el hotel y sus vehículos dejándose ver abiertamente.

Dedicó parte del tiempo a imaginar cuál sería su futuro como Sam Delacroix, un acomodado empresario canadiense que al enviudar había decidido retirarse a la bella costa amalfitana, y llegó a la conclusión de que tal vez no sería mala idea emparejarse de forma permanente con una bella italiana siempre que no hiciera demasiadas preguntas.

Encontrar una bella italiana no se le antojaba difícil; lo difícil sería que no hiciera preguntas.

Jamás había conocido a una mujer que no pretendiera saber por qué extraña razón desaparecía durante largas temporadas, y resultaba harto embarazoso explicarle que había estado ocupado buscando la mejor forma de matar a alguien.

Llevaba casi veinte años hablando poco, por lo que ahora le apetecía recuperar el tiempo perdido y los italianos tenían justa fama de excelentes conversadores.

Se sentaría en el bar de la esquina de su casa, contemplaría el mar con la silueta de la torre del cabo de Conca recortándose contra el sol a la caída de la tarde, y se pasaría las horas inventando historias sobre su pasado y escuchando historias inventadas.

Una pareja hizo su aparición en la puerta del hotel y en cuanto cruzaron bajo el primer farol, echó una ojeada a las fotografías que había recibido y no le cupo la menor duda de que aquéllos eran los que pretendían matarle y a los que pretendía matar.

Ella era de mediana estatura, elegante y atractiva, con una boca grande y bien perfilada que resaltaba gracias a unos dientes muy blancos, mientras que el hombre que le pasaba el brazo por el hombro medía casi metro noventa y lucía una barba rojiza ya entrecana.

Nada obligaba a pensar que no se tratara de un pacífico matrimonio que se disponía a pasar una agradable noche exponiendo algunos dólares en cualquier casino del centro.

Fueran lo que fueran, no consiguieron reaccionar con la suficiente rapidez cuando, como surgiendo del aire, un desconocido de aspecto anodino se plantó ante ellos al tiempo que inquiría con naturalidad:

—¿Me buscabais?

Eran bastante buenos, puesto que él la apartó con

brusquedad mientras se introducía la mano bajo la suelta camisa y ella lo hacía en el bolso, pero no lo suficientemente buenos.

Las dos primeras balas les alcanzaron en el vientre.

Sin prisas, consciente de que gracias al silenciador los disparos no habían sido escuchados por quienes se encontraban en el interior del edificio, Bob, el Búho, se aproximó, apartó las armas con el pie y se inclinó sobre ellos.

—Me da la ligera impresión de que aquí acaban vuestras andanzas —dijo con una abierta sonrisa—. Para acabar conmigo tendríais que haber sido mucho, pero muchísimo más listos. ¡Bonita boca, sí, señor! ¡Lástima que tenga que estropeártela!

Le introdujo el cañón del arma entre los dientes y apretó el gatillo.

—¡Y linda barba! —Ahora disparó bajo el mentón y le voló los sesos.

Luego, con estudiada calma, subió a su viejo chevrolet y dos minutos después rodaba tranquilamente por la autopista, rumbo al norte.

18

—¿El peso...? —repitió Salima Alzaidieri—. Todas las piedras pesan.

—Pero unas más que otras, y por lo que nuestro amigo Celso asegura, lo que esa gente compra son piedras que pesan más de lo normal, y a mi modo de ver eso tan sólo se puede deber a dos razones: contienen osmio o iridio.

—Y eso ¿qué demonios es? —quiso saber el buceador con la expresión de quien está escuchando algo en un idioma desconocido.

—Los metales más pesados de la tabla periódica, sin que los científicos se pongan de acuerdo sobre cuál de los dos es realmente el primero. Para que os hagáis una idea basta que os diga que una botella de un litro llena de agua pesa un kilo, pero llena de osmio o de iridio superaría los veinte.

—¡De acuerdo! —admitió la iraní—. Yo tampoco entiendo nada, pero aun suponiendo que esas piedras contengan eso que dices, ¿qué tiene que ver con los meteoritos?

—Que el iridio es un metal poco frecuente en la corteza de la Tierra, aunque existe mucho en su núcleo central, por lo que se supone que la mayor parte del que se encuentra en su superficie ha llegado en meteoritos y se lo considera en cierto modo un metal extraterrestre.

—¡No jodas! —exclamó el sorprendido hombrecillo.

—No jodo. —El colombiano hizo un gesto hacia el interior de la casa—. En la biblioteca encontrarás un par de libros de química y otros de astronomía—. Le apuntó significativamente con el dedo al puntualizar—: Y que conste que he dicho «astronomía», no «astrología».

—O sea, ¿que no estamos hablando de alienígenas o algo por el estilo? —inquirió con un indudable tono de sorna el marido de la Valquiria.

—¡No quieras llamar la atención pareciendo más bruto de lo que eres, pedazo de mendrugo! —le espetó su amigo amenazando con propinarle una cariñosa bofetada—. Sabes muy bien que me estoy refiriendo a «minerales extraterrestres», no a «vida extraterrestre».

—¡Vale...! Ahora, cuando una tía me dé el coñazo, en lugar de decirle que es un plomo le diré que es «irídica», con lo cual a lo mejor imagina que la estoy piropeando. Pero ¿qué carajo tiene de especial el puñetero iridio para que interese tanto a los «Picapiedra»?

Asdrúbal Valladares balanceó la cabeza como si con ello quisiera expresar sin palabras la magnitud de sus dudas y bebió un largo trago de cerveza para concederse algún tiempo a la hora de responder.

—Supongo que en estos momentos debe de ser, junto con el platino, el metal más valioso, porque se utiliza en joyería y en cierto tipo de aleaciones con el fin de endurecer otros metales. Sin embargo, conseguirlo a base de comprar piedras, aunque todas fueran auténticos meteoritos, se me antoja una majadería y un negocio ruinoso.

—¿Y si hubieran descubierto que puede tratarse de un nuevo tipo de combustible, como el uranio? —aventuró la «iraní de ojos de hurí», que evidentemente dudaba entre si lo que acababa de decir era una memez o una genialidad.

La mirada de reconvención le hizo comprender de inmediato que se trataba de lo primero.

—¡Querida mía...! —le hizo notar el escritor, que en este caso se mostró más cáustico que de costumbre—. Si se tratara de un nuevo combustible, lo que andaría por aquí no serían cuatro «picapiedras» en un precioso velerito; serían las escuadras rusa, china y estadounidense con toda su sofisticada parafernalia.

—Tal vez también anden buscando meteoritos en sus países —musitó ella como si sirviera de disculpa a su hipótesis—. En alguna parte leí que cayó uno en Siberia que arrasó los bosques y provocó un incendio espantoso.

—El que causó el mayor desastre de que se tiene conocimiento cayó no muy lejos de aquí, en Yucatán, hace sesenta y cinco millones de años, si mal no recuerdo. Pero te repito que aunque se hubiera tratado de una enorme masa de iridio que se hubiera partido en miles de trozos, no compensaría recogerlos. Lo que parece científicamente comprobado es que se pulverizó y el viento lo extendió por una capa de la corteza terrestre en lo que se denomina el «límite K/T».

—Y eso ¿qué demonios significa? —fue la inmediata pregunta.

—Es la abreviatura, en alemán, de los periodos cretácico y terciario y marca el final de la era mesozoica y el comienzo de la era cenozoica a causa del impacto de un meteorito, lo cual provocó la extinción de la conocida como «megafauna».

—¿Esa «megafauna» eran los dinosaurios?

—Y todos los animales de gran tamaño.

—¿Como cuáles? —insistió la iraní.

—¡Vete dentro y búscalo en un libro! —replicó malhumorado el colombiano, cansado de tanta pregunta—. ¿O es que te imaginas que soy una enciclopedia?

—A los lectores les gusta imaginar que el autor lo sabe todo sobre lo que está escribiendo —le hizo notar ella.

—Pero yo no estoy escribiendo un libro sobre el iridio, los meteoritos ni nada por el estilo —le hizo notar el otro con inusitada acritud—. En realidad no sé sobre qué coño estoy escribiendo porque toda esta mierda cada vez huele peor. Una plataforma que arde, un mar que se contamina, fotos misteriosas, iraníes que mienten, barcos con nombres absurdos y por si ello no bastara ahora hacen su aparición los dinosaurios. Empiezo a estar harto de esta historia.

—¿Preferirías volver a los tiempos de la «sangre de atún»? —le espetó de improviso una casi agresiva Salima Alzaidieri.

—No te diría yo que no, ya ves tú.

—Pues para luego es tarde, porque también yo estoy hasta el moño de pasarme las noches en vela por culpa de tus ronquidos y los días sobresaltada a causa de tus malos modos.

—Probablemente mis malos modos se deban a que me has obligado a trabajar como un loco para nada. ¡Para nada! ¿Me oyes? —insistió—. El cabrón de Gordon se limitó a darte puerta porque ya no te soportaba y soy quien paga las consecuencias.

—¿Trabajar? —La ofendida iraní se puso en pie, comenzó a retirar los platos con gestos bruscos y mientras se encaminaba a la cocina añadió—: ¿A eso lo llamas tú «trabajar»? Para escribir esa mierda no te necesitaba.

—Pues hazlo tú si te crees tan lista.

—Lo haré, porque la primera impresión es la que vale, y mi primera impresión fue la de que con borrachos las cosas no funcionan. ¡Me largo!

—¡Ya iba siendo hora!

Celso Castañeda, que había asistido atónito a la inesperada y desagradable escena, protestó:

—Pero ¿a qué vienen estos ataques de histeria?

—A que me tiene hasta los huevos.

—¡Pues sí que estamos buenos! He llegado a pasarme meses intentando localizar un galeón, y no cómodamente sentado, comiendo gambas, bebiendo cerveza y disfrutando del paisaje, sino a sesenta metros de profundidad, pelado de frío y temiendo el ataque de los jodidos «tragapatas», a sabiendas de que me esperaba casi media hora de descompresión si no quería quedarme paralítico.

—Y yo me he pasado casi diez años buscando un buen argumento y cuando alguien me asegura que sabe dónde encontrar una historia que para mí sería tan valiosa como para ti un galeón, resulta que tan sólo son los restos de una triste chalupa.

—¡El que no hayas sabido dar con él no significa que no esté! —gritó la iraní desde la cocina.

—¡Anda y que te zurzan, que mientes más que hablas! Lo que me has contado no es más que la historia de una despechada a la que le tomaron el pelo.

Un plato salió volando a través de la ventana y el buceador, que lo vio venir de cara, tuvo el tiempo justo de agacharse con el fin de que cruzara sobre su cabeza y fuera a estrellarse contra una palmera.

—¡La leche! —exclamó alarmado—. ¡Ésta es peor que la Valquiria! ¡Ni que llevarais veinte años casados!

—Perdona —se disculpó en tono compungido Salima Alzaidieri—. Nunca me había comportado así.

—Pues cualquiera diría que tienes una experiencia del carajo. —El Tesorero meditó unos instantes, extrajo del bolsillo un teléfono móvil, marcó un número y cuando le respondieron inquirió—: ¿Ramiro...? Soy Celso. ¿Podrías averiguar dónde se encuentra un yate llamado €&$? Tiene su base en las Bahamas, pero por lo visto anda siempre brujuleando por el Golfo o las Antillas. Gracias, negro, espero tu llamada.

Colgó y cuando advirtió que la iraní prestaba atención desde el interior de la casa, añadió:

—Vosotros podéis estar acostumbrados a que las cosas se solucionen rápidamente, pero como yo estoy hecho de otra pasta y este asunto me interesa, en cuanto me digan dónde está ese barco, levo anclas y me voy para allá. —Se bebió de un trago lo que le quedaba de cerveza al concluir—: ¡Qué carajo! Cuando no se encuentra otra solución, lo mejor es agarrar el toro por los cuernos.

—Voy contigo.

—Y yo.

—¡Ni hablar! —les contuvo el hombrecillo—. En los platos de mi *Pez Volador* comía el capitán del *Corregidor* hace la friolera de casi cuatrocientos años, y no estoy dispuesto a quedarme sin vajilla por culpa de un par de histéricos.

—Te prometo que no se volverá a repetir.

El buceador fingió meditar como si no estuviera

muy convencido de que pudiera mantener su promesa y al final, como desganadamente, admitió:

—Si este bocazas sigue contando cosas sobre los meteoritos y tú me ofreces un buen café y un vega fina, tal vez me lo piense.

19

—Han matado a los Bocco.

—¡Vaya por Dios! —fue la sorprendente respuesta, sorprendente debido a que venía acompañada de una divertida carcajada—. ¡Eso sí que es una gran noticia! O sea, ¿que nuestro astuto asesino ha vuelto a demostrar que sigue siendo el mejor en su oficio?

Dan Kosinsky no pudo por menos que dejarse caer en una de las butacas que se encontraban frente a la mesa de su antiguo jefe y ahora socio, al que dedicó una larga mirada de reconvención.

—¡Pero bueno...! —exclamó malhumorado—. ¿Qué diablos te ocurre? Te preocupaba que aún no se lo hubieran cargado, y ahora se diría que te alegra que siga haciendo de las suyas. ¿En qué quedamos?

—Una cosa es que me alegre y otra que me divierta —fue la contundente respuesta—. La diferencia es sutil pero existe; no me alegra ver caerse a una señora en una pista de patinaje, pero no puedo evitar reírme al ver su cara de espanto con las bragas al aire. Siempre he admirado a quienes hacen bien su trabajo, sean camareros, asesinos o ingenieros nucleares, y ese cabronazo continúa demostrando que sabe hacer el suyo, lo cual significa que tuve buen ojo al elegirle. ¿Cómo ha ocurrido?

—Aparecieron muertos en el párking de un hotel de Las Vegas.

—¿Cuántos eran?

—Dos; por lo visto marido y mujer.

—¿Marido y mujer? —«€&$» chasqueó la lengua como si con ello expresara la magnitud de su sorpresa—. ¡Nunca lo hubiera imaginado! ¿Qué ha dicho la policía?

—Lo de siempre; que se trata de un ajuste de cuentas entre delincuentes. Es una de las cosas buenas que tiene Las Vegas: oficialmente nadie hace nunca daño a los turistas; siempre se trata de lamentables accidentes o de maleantes que se eliminan entre sí.

—¿Qué se sabe del astuto Bob? ¿Hubo testigos?

—Como de costumbre nadie vio ni oyó nada, aunque parece ser que en este caso es cierto. ¿Qué vamos a hacer ahora?

Eugene Sanick tardó en responder, con la mirada fija en el precioso cuadro de Georgia abrazada a su enorme oso de peluche que ocupaba gran parte del mamparo que se encontraba a su derecha, y tras asentir con la cabeza y sonreír de nuevo replicó:

—Vamos a proporcionarle a nuestro admirado Búho un par de días de ventaja, porque siendo tan listo como es estoy seguro de que se habrá dirigido a Canadá, pese a que la frontera de México se encuentre mucho más cerca. Luego ocúpate de informar anónimamente a la policía de que el culpable de esas muertes es un tal Robert Johnson, jugador de póquer y asesino profesional que tiene en su haber infinidad de ejecuciones, entre ellas la de un tal Peter Miller en una playa de Luisiana. También les proporcionarás datos que le impliquen en delitos de sangre cometidos hace años de los que conservo toda la documentación.

—¿Y qué conseguiremos con eso? —quiso saber su socio.

—Que ese hijo de puta llegue a la conclusión, si es que no ha llegado ya, de que lo mejor que puede hacer es desaparecer para siempre, con lo que nos ahorraremos volver a pagar para que se lo carguen. Ya debe de haberse dado cuenta de que su «contacto» habitual ha quedado fuera de combate, es consciente de que le buscan poderosos enemigos y está convencido de que si la policía profundiza en su pasado, acabará en el corredor de la muerte. —Observó a su interlocutor de medio lado al tiempo que inquiría—: ¿Qué harías tú en su lugar?

—Comprarme una túnica de color azafrán, raparme la cabeza y retirarme a un convento tibetano.

—¡Más o menos! «A enemigo que huye, puente de plata.» Y ahora...

No tuvo tiempo de continuar, puesto que sonaron unos discretos golpes en la puerta y una respetuosa voz anunció desde fuera:

—El señor Sullivan desea verle, señor.

Dan Kosinsky saltó de la butaca como si le hubiera mordido una serpiente, al tiempo que exclamaba:

—Pero ¿qué coño hace aquí? Me juró que se iría a Brasil.

Su socio le tranquilizó con un gesto al señalar:

—¡No te preocupes! Sabía que pronto o tarde acabaría por aparecer y más vale que sea ahora.

Gordon Sullivan debió de ser en otro tiempo un hombre altivo y de innegable prestancia, pero ahora parecía haberse convertido en la sombra de sí mismo, desaliñado, con la cabeza hundida entre los hombros y girando continuamente la vista a su alrededor como si temiera que en cualquier momento le fueran a golpear por la espalda.

Permaneció unos instantes en pie, junto a la puerta, al fin aceptó acomodarse en una butaca a la izquierda de Dan Kosinsky, y tras casi dos minutos en que cabría asegurar que incluso él mismo se preguntaba qué demonios hacía allí, se decidió a señalar:

—Perdonen que me haya presentado de improviso, pero llevo los suficientes años en el mundo del petróleo como para haber llegado a la conclusión de que han abusado de mi buena fe.

—¿Acaso no se te ha pagado lo convenido? —inquirió Eugene Sanick con gesto de extrañeza—. Tengo constancia de que así ha sido.

—Sí, desde luego; me han transferido el dinero —admitió el recién llegado sin el menor reparo—. Pero me ofrecieron dos millones de dólares por organizar un simulacro de accidente que únicamente buscaba llamar la atención y me esforcé al máximo para que tan sólo fuera eso: un simulacro. Sin embargo me consta que no se trató de un «simulacro», sino de un acto criminal en torno al cual se mueven miles de millones de los que ustedes serán los principales beneficiarios. —Extrajo del bolsillo interior de la chaqueta un documento y lo alargó por encima de la mesa—. Ésta es la copia de una declaración jurada que será entregada a las autoridades estadounidenses a no ser que lleguemos a un acuerdo.

—Te arriesgas a pasarte el resto de tu vida en la cárcel.

—Pero no estaría solo.

Eugene Sanick hizo un casi imperceptible gesto a Dan Kosinsky con el fin de que se calmara, puesto que parecía a punto de abalanzarse sobre tan incómodo huésped, alargó la mano, ojeó el documento sin prestar atención a los detalles y se limitó a comentar con desconcertante calma:

—Por lo que veo, la cronología de los hechos está muy bien redactada; cómo se te ocurrió la idea con el fin de poner a la «Cúpula» sobre aviso, cómo viniste a pedirme respaldo económico, cómo tanto Peter Miller como tú trabajasteis muy duro para que saliera bien, cómo se fue todo a la mierda, y cómo ahora imaginas que estamos beneficiándonos de la mayor catástrofe ecológica que se recuerda. —Dejó de nuevo el documento sobre la mesa al tiempo que inquiría en el mismo tono monocorde—: ¿Cuánto crees que vale semejante información?

—Teniendo en cuenta que me he visto obligado a abandonar a mi familia, que Peter ha muerto en circunstancias extrañas y que Salima ha tenido que escapar de Houston a toda prisa y no consigo encontrarla, veinte millones.

—¡No es mucho! —admitió el dueño del yate.

—Una miseria en relación con el monto de las cifras que se están moviendo en torno a ese desastre.

—Una miseria, en efecto —reconoció Eugene Sanick mientras abría muy despacio el cajón de la derecha de su mesa introduciendo en ella la mano, que dejó allí durante un tiempo que tanto a Gordon Sullivan como a Dan Kosinsky se les antojó eterno. Al fin, como si se tratara de una escena rodada en cámara lenta, extrajo una chequera que dejó sobre la mesa al tiempo que extendía la mano—. ¡Por cierto! —dijo—. Devuélveme el bolígrafo que me robaste en Galveston. No creas que no me había dado cuenta.

—No fue un robo —protestó en tono avergonzado

el otro—. Lo consideré un simple recuerdo porque había muchos.

—Había siete exactamente —puntualizó «€&$» remarcando las palabras—. Siete de siete colores diferentes porque tengo siete tipos de negocios y la estúpida manía de anotar cada cosa con un color distinto; pero no tiene importancia.

Tomó el bolígrafo que el otro le alargaba y comenzó a rellenar el cheque con especial atención al tiempo que comentaba:

—¡De acuerdo! —Concluyó la tarea, puso la fecha, firmó, rubricó y lo arrancó con delicadeza de la matriz alzándolo entre los dedos—: ¡Ya está! —exclamó sonriente—. Tenías razón y veinte millones son una miseria, ¡cacahuetes!, como suele decirse.

Hizo ademán de entregarle el talón a su ansioso destinatario, que sudaba a mares, pero agitándolo de un lado a otro como si se tratara de una banderita añadió:

—Sin embargo, el problema estriba en que nunca me han gustado los ladrones, los cobardes, los estúpidos, y menos aún los chantajistas. Y a ti, para acabar de ser un desecho humano, lo único que te faltaría es ser político. —Eugene Sanick se volvió ahora a su socio, que había asistido en silencio pero evidentemente incómodo a la escena, con el fin de inquirir—: ¿De verdad suponías que iba a permitir que me amenazara?

Encendió un cigarrillo y con el mismo mechero le prendió fuego al cheque, que mantuvo entre los dedos hasta acabar por depositar sus restos en un cenicero de cristal.

Luego le devolvió a Gordon Sullivan el documento empujándolo con suavidad sobre la mesa.

—Con eso puedes hacer dos cosas —dijo—. La

primera, y es mi consejo, limpiarte el culo; la segunda entregárselo a quien corresponda con el fin de que te metan entre rejas, pero no en una cárcel, sino en un manicomio.

—Sabe que todo lo que se dice ahí es cierto —acertó a murmurar el otro tan a duras penas que casi no se le oía.

—¿De verdad lo crees? —Ante el mudo gesto de asentimiento añadió en un tono claramente ofensivo—: Pues eres mucho más tonto de lo que imaginaba. ¿Acaso te has tragado tu propio cuento de que un petardo oculto en un ordenador portátil y destinado a provocar una humareda, ¡espectacular, eso sí!, pero simple humareda, destruyó una plataforma diseñada para resistir la furia de un huracán? ¡Dios bendito! —refunfuñó malhumorado—. ¡Hace falta ser bruto!

Al desolado Gordon Sullivan parecía habérsele caído el techo encima, lo observaba todo como si se encontrara en otro mundo e incluso buscó ayuda en el impasible Dan Kosinsky, pero al comprender que no iba a encontrarla musitó:

—Sé muy bien que no podía causar tanto daño, pero desencadenó una serie de reacciones que culminaron en un imprevisible desastre.

Por enésima vez en su vida el dueño del palacio flotante intentó que el humo formara anillos y por enésima vez se sintió frustrado.

—¿Ésa es tu teoría? —inquirió, y ante el mudo pero decidido gesto de asentimiento de su oponente señaló con el cigarrillo el cuadro de su esposa y puntualizó—: Pues, como diría Georgia, que solía utilizar un vocabulario bastante pintoresco, se trata de una teoría «jodidamente chunga», puesto que el supuesto desencadenante de una imparable reacción en cadena ni siquiera funcionó.

En esta ocasión fue su socio, que no perdía detalle de la conversación y que tampoco parecía tener demasiado claras las ideas respecto a cuanto allí se estaba discutiendo, quien inquirió perplejo:

—¿Cómo has dicho?

—He dicho que el maldito artefacto nunca estalló. —Del mismo cajón extraje un móvil rojo al tiempo que aclaraba—: Lo hubiera activado con esto el día en que el pozo comenzaba a producir crudo, coincidiendo con una visita a la plataforma de los medios de comunicación, pero está claro que la seguridad era nula, el personal incompetente, la prepotencia de los ejecutivos ilimitada, y la fuerza del metano irresistible. No se valoraron los riesgos, se cometieron errores garrafales, se perforó una bolsa de metano, sobrevino una explosión antes de tiempo y la plataforma ardió por los cuatro costados mientras la cámara que habías colocado y que me enviaba regularmente una fotografía cada quince minutos continuó haciéndolo hasta que el mar se lo tragó todo.

—O sea, ¿que en realidad el incendio de la Deepwater Horizon no se trató de un atentado preparado por ti? —quiso saber un estupefacto Dan Kosinsky.

—¡Ni por lo más remoto, querido! —se escandalizó el aludido—. ¿A quién se le ocurre? ¿Crees que me he vuelto loco?

—Pues te juro que ahora sí que no entiendo nada.

—Siempre te he dicho que entender cosas que los demás no entienden, tener una información privilegiada y reaccionar con rapidez proporciona enormes ventajas a la hora de conseguir grandes dividendos. —«€&$» dejó el móvil sobre la mesa a la par que aclaraba—: Caí en la cuenta de que el último accidente verdaderamente grave ocurrido en el Golfo, el de Campeche, había tenido lugar hacía treinta años, y que el próximo podría tardar otros treinta. No podía esperar tanto, pero si proporcionaba pruebas, aunque fueran falsas, de que se trataba de un atentado, las cosas cambiarían dado que en el Golfo existen casi cuatro mil plataformas a las que los terroristas pueden acceder en un par de horas de navegación en plena noche.

—¿Y por eso le envió las fotos a Salima haciéndole creer que las había hecho yo? —inquirió un espantado Gordon Sullivan.

—Empiezas a entenderlo, mentecato —fue la despectiva respuesta—. Una de las mejores bazas a tu favor era una amante musulmana nacida en un país que los servicios secretos consideran un nido de fanáticos de Al Qaeda. Al implicarla en un posible atentado islamista he conseguido que tanto el «brazo ejecutor» de la «Cúpula», Bob Johnson, como los servicios secretos de medio mundo se hayan lanzado tras una pista difusa, lenta, enrevesada y sin salida. Y como muy bien suponía, tú no acudiste en su ayuda, sino que corriste a esconderte en Brasil.

—Es que no sabía que le había enviado esas fotos en mi nombre.

—No las envié en tu nombre; tan solo las envié, y el resto fueron suposiciones suyas. Si hubieras estado con ella, eso no habría ocurrido.

—¡Es usted un auténtico hijo de puta!

—Si me hubieran dado un dólar cada vez que me lo han dicho, tendría un barco más grande.

El humillado Gordon Sullivan hizo un último esfuerzo, pese a que se le advertía completamente vencido.

—Si cree que me voy a marchar tal como he venido, se equivoca —dijo.

—No te marcharás tal como has venido —le hizo notar Eugene Sanick con una aviesa sonrisa—. Te marcharás muchísimo más cabreado porque ahora sabes que no soy un terrorista y a diferencia de ti jamás me aproximé a menos de cien millas de la Deepwater Horizon, por lo que no puedes chantajearme. —Hizo un imperativo gesto hacia la puerta al concluir—: ¡Y ahora lárgate o haré que te tiren por la borda!

Dan Kosinsky se puso en pie, aferró con fuerza por el brazo a quien parecía a punto de echarse a llorar y abandonaron juntos la estancia.

20

Visto que los ronquidos de su vecino no le permitían pegar ojo, Salima Alzaidieri decidió recurrir a un somnífero pasada ya la medianoche, por lo que se encontraba aún en otro mundo cuando con la primera claridad del alba la despertaron violentos golpes, martillazos y correr de muebles.

Entreabrió apenas la puerta del dormitorio para enfrentarse al hecho de que la gorda Braulia y Asdrúbal Valladares, que hacía equilibrios sobre una silla, se afanaban en la tarea de cubrir las ventanas con gruesos tablones.

—¿A qué viene este escándalo? —masculló malhumorada—. ¿Qué pasa?

—No pasa, querida; es que va a pasar —fue la divertida respuesta del colombiano, que no pudo por menos que sonreír ante su desaliñado aspecto y su cara de sueño—. ¡Un huracán!

—¿Un huracán? —se horrorizó la iraní, cuyos enrojecidos ojos se agrandaron aún más—. ¿Un huracán «de verdad»?

—¡Y tan de verdad, preciosa! El puñetero *Earl* viene hacia aquí con fuerza cuatro; esperemos que no cause una catástrofe como la del *Katrina*, aunque a la vista de lo que está destrozando en Puerto Rico se gasta muy malas pulgas.

—¿Y qué podemos hacer? —inquirió, evidentemente inquieta.

La siempre cáustica Braulia se detuvo en la tarea de alargarle maderos y clavos a su jefe, lanzó una despectiva mirada de arriba abajo a quien continuaba como idiotizada en el quicio de la puerta y al fin masculló con sorna:

—Terminar con esto cuanto antes para irnos a jugar al tenis, porque cuando los vientos pasan de los ciento cincuenta kilómetros por hora resulta mucho más divertido intentar atizarle a la pelotita. —Hizo una significativa pausa antes de añadir—: ¿Por qué no se quita ese ridículo camisón, se peina esas greñas y nos echa una mano?

Necesitó permanecer cinco minutos en la ducha para despejarse y luego pasó dos horas contribuyendo en la medida de sus fuerzas a impedir que en el momento en que llegara el anunciado temporal la fina arena de la cercana playa se introdujera por cualquier resquicio.

Cuando la gorda de la corrosiva lengua se sintió satisfecha y se marchó a su casa, que al parecer estaba siendo blindada de igual modo por su familia, el mar comenzaba a encresparse y las primeras hojas volaban como precoz anuncio de la furia de la amenazadora tormenta.

Sentado en el porche y disfrutando de una bien merecida cerveza, el escritor observó con atención el cielo, advirtió cómo los pelícanos se alejaban aleteando parsimoniosamente mientras las gaviotas revoloteaban nerviosas, y al cabo de un rato se rascó la descuidada barba y comentó:

—Ese cabronazo viene con prisas, o sea, que recoge tu cepillo de dientes, un par de mudas y algún libro, porque nos largaremos de aquí en cuanto hayamos comido algo.

—¿Adónde? Ahora la casa parece segura.

En contra de lo que se podía suponer teniendo en cuenta el peligro que se avecinaba, Asdrúbal Valladares sonrió de oreja a oreja al replicar:

—A pasarlo bomba, querida. ¡A pasarlo bomba!

Poco después, tras clavar la puerta y desconectar la energía eléctrica, se dirigieron, casi empujados por un viento que a cada instante aumentaba su intensidad, al restaurante de Celso Castañeda, y cabría asegurar que en verdad el colombiano se encaminaba a una fabulosa fiesta.

Salima Alzaidieri no tardó en comprender la razón de tan extraño estado de ánimo a la vista de que el edificio era en realidad una especie de búnker construido con la indiscutible experiencia de quien a lo largo de su vida ha soportado el paso de docenas de huracanes y el acoso de los peligrosos merodeadores nocturnos que llegaban atravesando la cercana frontera haitiana.

La incontable variedad de peces y mariscos que normalmente nadaban en las piscinas naturales se habían trasladado a otras más pequeñas pero más resguardadas, mientras las mesas y sillas de la terraza se apilaban en un almacén, por lo que una vez cerrada y atrancada la gruesa puerta de doble hoja hubiera sido necesario un cañón para conseguir que quienes se habían encerrado en el interior del restaurante se sintieran amenazados.

Las ventanas habían sido protegidas por rejas de hierro y cristales blindados, un motor de gasoil proporcionaba toda la electricidad que se pudiera necesitar en meses, y en las neveras y despensas se guardaban víveres para alimentar a un regimiento.

Mantas y colchones se apilaban en un rincón y junto a la mayor de las ventanas destacaba una mesa de mármol y fichas de dominó.

La Valquiria, su marido, el cocinero y el escritor se apresuraron a ocupar sus puestos frotándose las manos ante la apasionante perspectiva de pasarse un par de días sin otra preocupación que ahorcarle el seis doble a su rival, ya que en el exterior el mundo podía salir volando, pero lo primero era lo primero.

Y en este caso lo primero era el dominó.

La iraní apenas daba crédito a sus ojos, porque en el otro extremo del comedor los dos hijos de la pareja, la camarera y el pinche de cocina se habían enzarzado a su vez en una ruidosa partida de parchís.

—¿Y yo qué hago? —inquirió molesta.

—¿Sabes jugar al dominó? —Ante la muda negativa el propietario del local insistió—: ¿Y al parchís?

—Únicamente al ajedrez.

—El ajedrez resulta demasiado sofisticado para nuestras míseras mentes pueblerinas, que no están a semejante altura, querida. ¿Por qué no pruebas a entretenerte un poco con mi ordenador? Está en ese despacho.

Aquélla era una clara invitación a que les dejara tranquilos y entendió la poco elegante «indirecta», por lo que se refugió en la estancia indicada acomodándose en lo que fuera en otro tiempo la butaca giratoria del capitán de un mercante holandés, teniendo enfrente la pantalla de un ordenador más allá del cual se distinguía un mar cuyas olas alcanzaban ya casi los seis metros de altura.

Fuera el viento aullaba amenazante, las palmeras se inclinaban, algunos árboles caían y al poco un pequeño velero desarbolado y sin tripulación surgió tras el cabo que cerraba la bahía y cruzó muy despacio rumbo a poniente.

Las olas lo zarandeaban, pero a pesar de que en ciertos momentos aparecía casi acostado sobre el agua siempre volvía a enderezarse como si se tratara de un irreductible tentetieso decidido a mantenerse erguido a cualquier precio.

Sin duda había sido construido a conciencia y su quilla debía de ser de plomo auténtico. O tal vez de iridio.

Salima Alzaidieri, que apenas había cumplido once años cuando asistió a la caída del sha, la llegada de los ayatolás y la radical islamización del mundo en que se había criado, no pudo por menos que preguntarse cómo era posible que hubiera acabado a miles de kilómetros de su hogar, en una estancia atestada de viejas facturas, cajas de cerveza y sacos de frijoles como testigo del paso de un destructivo huracán.

Cayó en la cuenta de que aquel barquichuelo que se perdía de vista luchando por continuar a flote era ella misma, sin velas, aparejos, tripulación e incluso sin timón, derrotada mil veces pero alzándose otras mil, inasequible al desaliento pese a que no tuviera la menor idea de adónde se dirigía o si algún día encontraría un puerto en el que refugiarse.

Cuánto mejor sería permitir que el mar se la tragara al igual que acabaría por tragarse el velero, porque a cincuenta metros bajo la superficie las aguas estarían ya tranquilas y podría descansar para siempre en las oscuras profundidades.

Un ensordecedor estruendo la obligó a dar un salto, porque un rayo había caído muy cerca.

Se escucharon gritos en el comedor, corrió alarmada, resbaló por el pasillo golpeándose el hombro contra la puerta y la enfureció descubrir que no había muertos ni heridos, sino que se trataba de una violenta discusión entre el buceador y la Valquiria acerca de si hubiera sido preferible «cuadrar a cuatros que a doses».

—¡Yo soy mano y salí a doses! —aullaba ella.

—¡Pero yo tenía cinco cuatros!

—¡Pues ya ves de lo que te ha servido, enano de mierda! Este par de payasos nos han clavado setenta y cuatro puntos. ¡No tienes ni puta idea!

Asdrúbal Valladares y el cocinero hacían muecas mientras se partían de risa.

Como le resultaba imposible averiguar de qué demonios hablaban regresó al despacho, conectó el ordenador y se dedicó a buscar en internet información sobre meteoritos.

Pasó el resto de la tarde estudiando, por lo que durante la cena —un pantagruélico banquete en el que no faltaba de nada y el alcohol corría como los violentos riachuelos que comenzaban a precipitarse desde las cercanas montañas— inquirió dirigiéndose al colombiano:

—¿Sabías que habían sido ingenieros de una petrolera mexicana los que se dieron cuenta de que un enorme meteorito de diez kilómetros de diámetro había caído en Chicxulub?

—¿Y eso qué diablos es...? —quiso saber el escritor.

—Un pueblo del norte de la península de Yucatán —le aclaró—. Mientras hacían prospecciones geológicas se tropezaron con un cráter de ciento ochenta kilómetros de diámetro, la mitad del cual se encuentra dentro del mar y su centro a la orilla del agua, en el punto exacto en el que setenta y cinco millones de años más tarde se construyó el pueblo.

—Sabía lo de ese meteorito, pero no los detalles —admitió sin la menor reserva el colombiano—. Tengo buena memoria, pero no de elefante.

La iraní consultó las notas que había tomado utilizando el reverso de varias facturas del restaurante, para añadir:

—Según parece su impacto fue equivalente a cien millones de megatones, por lo que causó los mayores tsunamis y diluvios de la historia. Trozos incandescentes y una nube de vapor, polvo y cenizas se extendieron sobre la mayor parte de la Tierra impidiendo que llegara la luz del sol, debido a lo cual bajó de forma brusca la temperatura y disminuyó la fotosíntesis de las plantas, interrumpiendo la cadena alimenticia.

—Y ello propició que los dinosaurios y todos los bichos grandes se quedaran sin nada que llevarse a la boca y al final la espicharan —completó humorísticamente la frase Asdrúbal Valladares—. Viene a ser lo que te conté el otro día, aunque sin tanto tecnicismo.

—Sin embargo, muchos científicos no están de acuerdo con dicha teoría —le hizo notar ella.

—¿Por qué razón? —intervino Celso Castañeda, que no perdía detalle de la conversación.

—Porque admiten que sin duda la desaparición de los dinosaurios se debió al impacto de un asteroide, pero no aceptan que uno de ese tamaño causara un daño que afectara al resto del planeta; sería como admitir que una bala de fusil es capaz de destrozar un muro de hormigón de cinco metros de anchura.

—¿O sea, que se trató de otro mayor?

—O de varios —puntualizó ella—. La revista *Nature* afirma que hace ciento sesenta millones de años se produjo una apocalíptica colisión interplanetaria, lo que ocasionó la creación de la denominada familia de asteroides Baptistina, varios de cuyos componentes tomaron rumbo a nuestro planeta, con el que impactaron cien millones de años más tarde. Es probable que el de Yucatán fuera un pequeño trozo de esa «familia».

—¿Pequeño? —repitió el asombrado buceador—. ¿A diez kilómetros de diámetro lo llamas «pequeño»?

—Supongo que cuando se habla de cuerpos celestes eso debe de ser como un grano de arena de esa playa en comparación con toda la isla —le hizo notar Salima Alzaidieri—. Pero, sea como sea, lo que no entiendo es qué diablos tiene que ver algo que ocurrió hace millones de años con el incendio de una plataforma de perforación y el hecho de que alguien que ha demostrado ser muy listo compre piedras con la esperanza de que se trate de meteoritos.

—Yo sigo opinando que lo mejor que podemos hacer es ir a buscar al tal Sanick y preguntárselo directamente —insistió Celso Castañeda—. Pero como de momento no podemos movernos propongo que terminemos de cenar y volvamos a lo nuestro, porque si pierdo otra partida, la Valquiria me saca a la terraza y me convertiré en «lo que el viento se llevó».

—Para eso no hace falta un huracán, basta con una ligera brisa mañanera —le hizo notar el colombiano—. En cuanto a ti, «iraní de ojos de hurí», te quedaría sumamente agradecido si dejaras de dar el coñazo; ni había tema suficiente como para escribir una novela con tu fallida historia del supuesto atentado a la plataforma, ni mucho menos lo hay por el hecho de que alguien se dedique a comprar piedras aunque contengan iridio. Estoy de acuerdo en que suena a disparate, pero a otros chiflados les encanta gastarse su dinero en recuerdos de estrellas de cine o futbolistas.

—¿Y crees que es lo mismo? —fue la casi agresiva pregunta.

—Yo ya no creo nada, y como prefiero no discutir porque le tengo mucho aprecio a la vajilla del *Corregidor*, te repito que no pienso decidir nada que no esté directamente relacionado con el dominó hasta que el precioso huracán que ha tenido la amabilidad de visitarnos se haya alejado definitivamente. Y si te aburres, te aconsejo que salgas a la terraza a tomar el aire.

21

En cuanto Dan Kosinsky y Gordon Sullivan abandonaron la estancia, el hombre que ya tan sólo sobrevivía a base de recuerdos se tumbó en el sofá desde el que podía admirar mejor la forma en que la rojiza luz del atardecer confería una nueva vida al rostro de Georgia abrazada al oso.

El viejo peluche había compartido su dormitorio, los observaba impasible cuando hacían el amor, actuó de mediador interponiéndose entre ambos en el transcurso de algunas de sus raras discusiones, y aguardó paciente a que al fin emergieran de la profunda cueva.

Se habían amado en ella como nunca, porque con el agua a la cintura y los pies firmemente asentados en un fondo de roca, a Eugene Sanick no le había costado mantener en alto a Georgia, sintiendo como sus piernas le rodeaban, llorando mejilla contra mejilla y el uno dentro del otro durante un largo tiempo que hubieran deseado que no concluyera nunca.

La muerte se habría mostrado generosa y justa por primera vez desde su nacimiento si llegando desde el mar se los hubiera llevado juntos en aquel mágico momento.

Aunque, a decir verdad, generosa tal vez, pero no

justa, visto que más justo resultaba permitir que «€&$»
continuara padeciendo su personal infierno durante
años por si se diera el caso de que no le pasaran luego
factura por sus crímenes.

Eugene Sanick sabía por experiencia propia que la
vieja leyenda de que el amor redime a los pecadores no
era en realidad más que eso: una leyenda.

En ciertos casos, como el suyo, el amor abría un paréntesis, pero en cuanto desaparecían el amor o el ser
amado, la verdadera personalidad volvía a la superficie
al igual que reflota una boya cuando el pez que picó el
anzuelo ha muerto o se ha escapado.

Sin nadie que por el mero hecho de mirarle a los
ojos fuera capaz de averiguar lo que estaba tramando,
como si de una conciencia externa se tratara, el ser humano daba rienda suelta demasiado a menudo a sus
sentimientos, y con respecto a ello «€&$» no se consi-
deraba una excepción.

Tal como Leopold Wallis le advirtiera, Georgia convertía a las hienas en chihuahuas y a los tiburones en
sardinas, pero desde el momento en que la domadora
se había retirado a descansar eternamente allí donde el
mar bramaba noche y día, hienas y tiburones habían
vuelto a las andadas.

Había ordenado asesinar a algunos y arruinar a muchos y en ocasiones actuaba como si estuviera retando
a los dioses que le habían arrebatado sin motivo a la
guardiana de su furia y su avaricia.

«Si se empeñan en que vuelva a ser lo que fui, volve-
ré a serlo», se dijo sin experimentar por ello el menor
remordimiento ni pestañear a la hora de indicar a unos
sicarios cómo se debía eliminar a los actuales miembros
de la «Cúpula».

«€&$» la había creado, había diseñado la seguridad del edificio y había establecido las normas por las que se regía, y por lo tanto sabía mejor que nadie que a sus dirigentes nunca les temblaba la mano a la hora de mandar asesinar a quien se interpusiera en el camino de ciertas empresas sin que ni siquiera los propios empresarios lo supieran.

Al igual que los gobernantes de muchos países ignoraban —o preferían ignorar— que en las más profundas cloacas de la tan socorrida y denostada «Seguridad Nacional» existían oscuras «Fuerzas Especiales» a las que rara vez se les exigía rendir cuentas de sus actos, la AGEN, cuyo poder económico y político era infinitamente superior al de muchas naciones, también disponía de dichas «fuerzas».

Cuando, pese a todas las precauciones, en algún país la basura acababa por reventar las tuberías y estallaba el escándalo, media docena de miembros de la policía secreta y algún que otro director general de Seguridad acababan en la cárcel ante el supuesto asombro y las airadas protestas de inocencia o ignorancia de ministros y presidentes.

No obstante, si un escándalo similar amenazaba con salpicar a los altos ejecutivos de las grandes corporaciones, no tenían por qué preocuparse, puesto que la mayoría de las veces ni siquiera tenían idea de en qué consistía realmente la labor de hombres como Bob Johnson.

Durante años Eugene Sanick había hecho grandes y turbios negocios con muchos de los máximos ejecutivos de aquellas corporaciones, la mayor parte de ellos ya muertos o jubilados, y en ocasiones no había podido evitar sonreír para sus adentros al escuchar cómo pontificaban en rimbombantes conferencias o selectos foros internacionales, convencidos de que regían los destinos del mundo, pero ignorantes de que ni tan siquiera regían los propios.

No valía la pena dedicar ni un solo minuto a sacarles de su error, porque lo único que ya le importaba era conseguir que los sueños de la mujer que aún continuaba amando se convirtieran en realidad.

A lo largo de las dos últimas semanas de su vida, que pasaron completamente a solas en el islote, Georgia le había confesado al fin cuáles eran las extrañas razones por las que le gustaba comportarse de una forma tan pintoresca y a menudo disparatada.

—Siempre me han tenido por una niña mimada, excéntrica y caprichosa a la que tan sólo le interesan el lujo, las fiestas y el derroche, y si quieres que te diga la verdad me tiene sin cuidado que me recuerden de ese modo, porque desde la quilla a la bandera del €&$, pasando por su propio nombre, todo ha sido puro esnobismo —le había dicho mientras se comía una vez más el mundo con aquella pícara sonrisa que le vencía siempre al inquirir—: ¿O acaso has visto nunca algo tan exótico y felliniano sobre el lomo de una ballena? ¿Qué te parece?

La nueva sorpresa le esperaba al trepar por la escala de cuerdas y salir al exterior de la caverna, debido a que durante el tiempo que se habían dedicado a admirar la gruta o hacer el amor dentro del agua la tripulación había instalado en la resguardada playa de poniente una gigantesca carpa blanca equipada de tal modo que incluso una familia numerosa hubiera podido vivir en ella todo un verano.

—Que nunca acabarás de asombrarme —respondió.

—De eso se trataba, ¿no es cierto? —le hizo notar ella—. Mi padre te garantizó que si te casabas conmigo nunca te aburrirías y creo que lo he conseguido, aunque me temo que ésta será mi última locura.

—¡Por favor! —intentó él protestar—. No hablemos de eso.

—Tenemos que hablar de muchas cosas, querido, y ésa es la primera —señaló Georgia alzando la mano en un mudo ruego de que no la interrumpiera mientras insistía—: Quiero acabar la fiesta a mi manera, tú y yo aquí, de cámping en una isla desierta, sin que ni tan siquiera los tripulantes sean testigos de mi deterioro porque me consta que tú siempre me recordarás tal como era el día que me colé en tu coche.

—Te equivocas; te recordaré de un millón de maneras.

—Especialmente con el sombrerito de paja que tanto te gusta; lo he traído conmigo, pero debe quedar muy claro que ya jamás abandonaré este lugar. ¡Ni viva ni muerta!

¿Cómo negarle el último deseo a quien le había concedido tantos?

¿Y cómo resistirse a la idea de convertirse en el único dueño y testigo de cada una de sus palabras, sus miradas e incluso su aliento?

Para Eugene Sanick la situación hubiera sido perfecta con la única condición de que se le hubiera permitido intercambiar los papeles, e incluso le cruzó por la mente la idea de no abandonar de igual modo la isla ni vivo ni muerto, pero quien siempre había demostrado ser capaz de leer sus pensamientos le apuntó amenazadoramente con el dedo al señalar:

—¡Ni se te ocurra! Aún te quedan cosas por hacer y

ya te he dicho que quiero quedarme sola ahí abajo algunos años. ¿Está claro?

—¡Maldita bruja adivina! —se lamentó.

Acomodándose sobre los cojines de un enorme sofá de mimbre la impredecible mujer extendió la mano, tomó la de él y señaló sonriente:

—En mí se da el curioso caso de que me he convertido en la antítesis del «proletariado», cuya única riqueza son los hijos, puesto que constituyo el último eslabón de cuatro familias que han dispuesto de todas las riquezas imaginables, excepto la que significan las alegrías o tristezas que suelen traer consigo los hijos.

—No había caído en la cuenta de que fuera así —admitió «€&$»—. Pero mirándolo bien tienes razón.

—¡Ya lo creo que la tengo! Conmigo acaban los Wallis, por parte de mi padre, los Spencer por parte de mi madre, los Anapaulos por parte de mi primer marido, y por si todo ello no bastara los Sanick por parte tuya, de tal manera que si hubieras muerto antes que yo, me habría convertido en una especie de sospechosa araña negra bastante gafe, podrida de dinero y dedicada a montárselo a diario con todos los chicos guapos que encontrara a su paso.

—¿Cómo puedes hablar así en estos momentos?

—Por aquello de «genio y figura hasta la sepultura», mi querido osito de peluche, y ya ves que la sepultura la tengo a la vista. ¡Por cierto! —indicó señalando al frente—. Está empezando a subir la marea y «Moby Dick» comienza a resoplar.

En efecto, las olas batían ya contra el acantilado, se introducían hasta el fondo de la cueva y lanzaban al aire tímidos chorros, ya que aún pasarían tres o cuatro horas antes de que el agua alcanzase su máxima altura.

El infeliz «osito de peluche» advirtió que se le revolvía el estómago al tomar conciencia de que aquel maldito «hervidero» con su monótono retumbar —semejante a la controlada explosión de barrenos de una mina— le estaría recordando durante la mayor parte del día y de la noche que se aproximaba el momento en que debía entregarle el cuerpo de su amada.

Era como si la propia muerte, con capucha y guadaña, golpeara insistentemente la puerta reclamando a su presa.

Y ya no quedaban llaves, ni cerrojos, ni cadenas para cerrarle el paso.

¿Quién y en qué lugar del mundo estaría en capacidad de venderle un año de vida para Georgia por todo cuanto poseía, incluida su propia vida?

—¿Me escuchas, cielo?

Tuvo la impresión de que regresaba de un lugar muy oscuro y se veía obligado a parpadear ante el brillo de sus ojos.

—Perdona, querida... ¿Qué decías?

—Que tendrás que cumplir al pie de la letra mi testamento, que se compone de tres partes muy claramente diferenciadas; la primera se refiere a la fortuna de mi padre, que era muy religioso, aunque reconozco que en lo que se refiere a su inquebrantable fe en Dios y en el Juicio Final no me dejó nada en herencia —dijo con su habitual desparpajo—. No obstante sabía invertir su dinero, por lo que los dividendos están dedicados a obras de caridad, así como a investigación sobre enfermedades infantiles; a ese respecto tu única obligación será revisar facturas.

Hizo una pausa mientras llenaba una coqueta pipa con marihuana y la encendía, porque era su forma de combatir unos dolores que empezaban a ser cada vez más intensos; aspiró con ansia, aguardó a que le hiciera efecto y al rato añadió:

—La segunda afecta a la fortuna de Vassilis, que como buen griego siempre andaba preocupado por cuanto estuviera referido al mar, hasta el punto de que fue el primer armador cuyos petroleros estaban dotados de doble casco para evitar la contaminación. Por desgracia murió sin alcanzar su sueño de conseguir que los vertidos de crudo no acabaran con los océanos, por lo que he dedicado una gran parte de cuanto me dejó a solucionar ese problema. Espero que pronto se consiga a base de petrificar de nuevo el petróleo, que como sabes se denomina así por la contracción de dos palabras, *petro* y *oleo*: es decir, «aceite de piedra».

—Pues la verdad es que no lo sabía —admitió «€&$» sin el menor reparo—. ¡Qué estupidez! Toda mi vida haciendo negocios con él y no había caído en algo tan simple.

—Es que siempre has sido bastante cortito, querido, y la prueba la tienes en que perdiste el culo por el primer par de tetas que se colaron de improviso en tu coche.

—Es que se trataba de un par de tetas muy especiales.

—¡Eso sí que es cierto, qué quieres que te diga! —admitió ella con una de sus arrebatadoras sonrisas—. Aún se mantienen firmes sin que nadie las haya tocado. ¡Bueno! —puntualizó—. Nadie relacionado con la cirugía estética, que yo recuerde.

—¡A que te atizo un sopapo por desvergonzada!

—¡Ya podrás con una enferma! —Georgia aspiró una nueva bocanada de su sofisticada pipa, lanzó un sonoro suspiro de alivio y añadió—: Pero volvamos a lo que importa; desde hace algún tiempo estoy financiando una empresa europea que investiga sobre distintos tipos de cemento que al extenderse sobre el petróleo que flota en el agua lo obliga a que fragüe y se convierta en una roca inofensiva.

—Parece demasiado sencillo —le hizo notar él—. ¿No te estarán estafando?

—Yo puede que sea una loca de la vida a la que le encanta derrochar el dinero, pero no una estúpida que se deje tomar el pelo, querido. Sabes muy bien que soy de las que, o regala millones, o araña por un dólar. He visto cómo se hacen las pruebas y resulta sorprendente, porque el problema del crudo, como el de todos los aceites, estriba en que es menos denso que el agua y por lo tanto flota, va de aquí para allá y acaba contaminándolo todo... ¿O no?

—Supongo que sí —admitió su marido—. ¡Pero de ahí a enviarlo al fondo a base de cementarlo media un abismo!

—No lo creas; es cuestión de un minuto. Y lo más triste es que el petrolero *Exxon Valdez* estuvo varios días derramando un grueso e impresionante chorro de crudo en una tranquila bahía de Alaska mientras miles de personas se esforzaban por contenerlo desde el exterior, sin que a ninguno de los estúpidos que se paseaban por cubierta se le ocurriese atacar el problema en su verdadero origen: el interior del casco —le hizo notar ella en un tono que evidenciaba su irritación—. Hubiera bastado con arrojar unos cuantos sacos de cemento hidráulico y grava al depósito dañado para que en menos de una hora la «vía de agua», en aquel caso «vía de crudo», se hubiera taponado.

—En eso puede que tengas razón —convino «€&$»—. Recuerdo que antiguamente se utilizaba ese tipo de cemento a la hora de taponar un agujero en el casco, y está claro que resultaría un sistema tan eficaz de fuera adentro como de dentro afuera.

—El segundo problema estriba en que nadie se atreve a reconocer que la contaminación del mar a causa de la limpieza de los fondos de los petroleros es comparable al hecho de que cada mes se hunda un nuevo *Exxon Valdez* en algún lugar del mundo. Y ello se evitaría obligando a los buques tanque a solidificar los vertidos antes de arrojarlos al agua, porque la mezcla de esos tres productos fragua con el petróleo convirtiéndolo en una roca.

—Jamás se me habría ocurrido —masculló su marido, al que se advertía casi molesto consigo mismo por no haber pensado en ello—. No tenía ni idea de que se derramara tanto crudo al limpiar fondos, ni que pudiera evitarse de un modo tan simple.

—Es que a ti lo único que te preocupa es cómo ganar dinero, querido, mientras que a mí, que siempre lo tuve, lo que me preocupa es cómo gastarlo. —Georgia hizo ahora una nueva pausa como si se dispusiera a enfrentarse al último asalto de un duro combate, antes de añadir—: Y por último hablemos de mi verdadera fortuna, la que me dejó mi madre, y que superaba en mucho a las de papá o Vassilis, a los que podría considerarse míseros pedigüeños a su lado, ya que ni siquiera tú estarías a su nivel.

—Eso sí que es nuevo —admitió su marido—. Siempre supe que era muy rica, pero no hasta esos extremos.

—Es que, a diferencia de mí, era una mujer inteligente, discreta, tímida y enemiga de excentricidades y ostentaciones, tal vez debido a que al parecer fue su abuelo quien pronunciara aquella odiosa frase: «Un arma deja un beneficio del cuarenta por ciento, pero a lo largo de su vida útil dispara un promedio de dos mil balas, cada una de las cuales deja un beneficio del cincuenta por ciento; en vista de ello prefiero que otros fabriquen las armas y yo dedicarme a las balas, porque de cada diez personas a las que mata un arma por lo menos a una se le queda mi nombre dentro y normalmente le acompaña a la tumba.»

—¡Qué maldito hijo de puta!

—Era el dueño de veinte de las mayores fábricas de munición del mundo, y mi madre se avergonzaba de ello.

—No me sorprende, porque sin duda tu jodido bisabuelo era muy bestia.

—En cuanto mi madre heredó las fábricas, se apresuró a reconvertirlas, pero eso no hizo que cambiara de forma de comportarse.

Como una moderna princesa Sherezade que estuviera intentando concluir su historia en el amanecer de la que parecía ser ya su «noche mil», Georgia respiró con ansia —se diría que el simple hecho de respirar la agotaba— y al poco añadió:

—Su única pasión era la astronomía, por lo que se había hecho construir en el jardín un fabuloso observatorio en el que se pasaba horas explorando el universo en busca de asteroides que pudieran corroborar su fascinante teoría de que hasta hace unos setenta millones de años, América era un continente compacto en el que no existía el mar Caribe.

—¿Cómo que no existía el mar Caribe? —no pudo por menos que inquirir un casi estupefacto «€&$»—. ¿Qué había en su lugar?

—Selvas, ríos, praderas y montañas, y es que si se observa un mapa con atención se puede advertir que la costa de la Florida parece continuar por Cuba, Puerto Rico y el arco de las Antillas, para concluir en Venezuela. Según la teoría de mi madre, el hundimiento de la zona central que ahora ocupan las cuencas del Caribe y el golfo de México se debió al impacto de asteroides.

El retumbar del mar en la caverna se hacía cada vez más acuciante, recordando a gritos que reclamaba a Georgia, y se diría que el intenso dolor que se iba apoderando día a día de ella hacía que estuviera deseando que la llevara a descansar para siempre.

—¿Y esa teoría tiene algo que ver con tu manía de comprar piedras? —se decidió a preguntar Eugene Sanick, que empezaba a temer que si no se lo aclaraba pronto, no lo haría nunca.

—Es la única razón, porque cuando ya mi madre había muerto leí en una revista científica que la violenta colisión del cometa Shoemaker-Levy 9 contra Júpiter demostraba que en determinadas circunstancias las interacciones gravitacionales propiciaban impactos simultáneos en un espacio relativamente limitado de un planeta. —Se interrumpió y resultó imposible determinar si estaba intentando hacer memoria o sacar de alguna parte un átomo de fuerza—. Basándome en ello llegué a la conclusión de que tal vez, y como aseguraba mi madre, el meteorito que había caído en Yucatán formaba parte de un grupo de gigantescos asteroides que habían llegado a la Tierra al mismo tiempo. —Le indicó con la cabeza a su marido que le diera un poco de agua antes de concluir—: Siempre he estado convencida de que no se equivocaba al afirmar que varios objetos celestes habían golpeado en el centro del continente americano causando la mayor catástrofe de la historia del planeta.

—Tendría que haberse tratado de unos asteroides gigantescos —le hizo notar su esposo.

—Algunos de la familia Baptistina, al que pertenecía el de Yucatán, lo eran, y si cayeron en ese punto de la corteza terrestre, que se asienta sobre una inmensa capa de sales gelatinosas muy propensa a los seísmos, justo donde las fallas Septentrional y Enriquillo confluyen con la placa Norteamericana, el efecto debió de ser parecido al de arrojar una piedra a un estanque congelado; si fuera lo suficientemente grande, quebraría el hielo, con lo que sobrevendría un desastre apocalíptico.

—Supongo que cuando reflexione detenidamente sobre ello, empezaré a entenderlo mejor, porque en estos momentos no acabo de hacerme a la idea —argumentó quien se sentía sobrepasado por tal cúmulo de inesperada información—. ¿Pero qué objeto tiene coleccionar miles de piedras?

—Que muchas de ellas son meteoritos que contienen iridio, por lo que por medio de un detallado análisis de cómo y dónde se encontraron pueden convertirse en la mejor prueba de que se produjo un impacto múltiple al sur de Haití. Lo que en verdad me importa es que la teoría de mi madre puede considerarse tan válida como cualquiera de las que maneja hoy en día la comunidad científica.

El alcance de semejante confesión de intenciones dejó casi sin habla a su marido, por lo que tan sólo consiguió balbucear que dudaba mucho que «la comunidad científica» admitiera tan sorprendente planteamiento.

—Lo sé y lo entiendo —admitió Georgia sin sombra de duda—. Por eso te suplico que dediques todo tu esfuerzo y mi dinero, que ya para nada me sirve, en hacer entender al mundo que si un gran número de científicos no aceptan la teoría de que un impacto único aniquiló a los dinosaurios, deberían aceptar que fueron varios simultáneos. Y que gracias a esa aniquilación nuestros antepasados, los simios, tuvieron la oportunidad de multiplicarse y evolucionar sin servirles de cena. —Extendió una mano que no era ya más que puros huesos, tomó la de su esposo e inquirió suplicante—: ¿Lo harás?

Evocando el momento en que años atrás le jurara que haría cuanto fuera necesario por alcanzar su sueño y el de su madre, a «€&$» le dolía reconocer que cuando acudiera a reunirse con ella, se vería obligado a admitir que no lo había conseguido.

Atendiendo a su petición había continuado invirtiendo fortunas en «piedras», contratando a geólogos, astrónomos y naturalistas, pero eran tan meticulosos y estaban acostumbrados a trabajar con tan cansina y desesperante lentitud que pasarían décadas antes de que emitieran un veredicto.

Al carecer de pruebas irrefutables, ninguno de aquellos pretenciosos «sabihondos» —sucias sanguijuelas que no dudaban en sacarle millones sin darle nada a cambio— se arriesgaba a perder su prestigio admitiendo que las elucubraciones de una fantasiosa aficionada a la astronomía ya difunta tenían ciertos visos de realidad.

Tampoco él estaba absolutamente seguro de que lo tuvieran, pero le molestaba la idea de no conseguir despejar tan curiosa incógnita, ya que se trataba de una fascinante teoría a la hora de resolver uno de los grandes retos que se había planteado la ciencia: ¿por qué razón existían tantos fósiles de dinosaurios, muchos de ellos innegablemente herbívoros, pero no se sabía de ninguno que hubiera conseguido sobrevivir al cataclismo de sesenta y tres millones de años atrás?

22

Lo que tendría que haber constituido un cúmulo de momentos de tensión e incluso de pánico a causa de la violencia con que las desmelenadas fuerzas de la naturaleza mostraban su poderío se transformó en horas de risas y relajación, reforzadas por los enfrentamientos entre la Valquiria y su marido por culpa de su opuesto modo de entender las reglas básicas del dominó.

En el fondo, aquélla era la gracia del juego y de hecho también Asdrúbal Valladares y su pareja tuvieron sus más y sus menos en un par de ocasiones, porque como un viejo dicho local aseguraba: «Jugador que nunca se enfada, ni es jugador de dominó ni es nada.»

El colombiano llevaba años empeñado en que el cocinero le contara cuál había sido su papel como hombre de confianza del coronel Caamaño durante la revolución que había tenido lugar en la isla hacía ya más de medio siglo, pero el orondo hombretón, que cojeaba levemente como recuerdo de la bala que le había atravesado la pierna izquierda en la sangrienta batalla del Puente Duarte, solía mostrarse reservado a ese respecto.

—Desde que tengo memoria sufrimos la sanguinaria dictadura trujillista, pero durante unos pocos meses el coronel Caamaño nos hizo alimentar el sueño de liberarnos de los secuaces de aquel violador y asesino de mujeres y niños —fue todo lo que dijo en una rara ocasión—. Pero tan sólo fue eso, un corto sueño del que los fascistas, ayudados por aquel otro gran fascista que era el presidente Johnson, nos despertaron a cañonazos.

—¿Es cierto que los castristas traicionaron a Caamaño cuando intentó regresar clandestinamente años más tarde? —insistió el escritor.

—Partió de Cuba, hermano —fue la respuesta—. Y por aquel entonces a Castro lo único que le importaba era que nadie creyera que estaba exportando la revolución al resto del continente; los rusos le habían advertido que en ese caso tendría que atenerse a las consecuencias. Si dejó tirado al Che en Bolivia, a nadie debe sorprenderle que los fascistas supieran cuándo y por dónde desembarcaría Caamaño en Santo Domingo. —El buen hombre hizo un amplio gesto con la mano como si estuviera apartando algo que le molestara al concluir—: Y no pienso seguir hablando del tema porque la herida de la pierna se me inflama en cuanto nombro a Fidel.

Asdrúbal Valladares siempre había considerado que el relato de cómo una decena de valientes habían puesto el pie en la República Dominicana muy cerca de donde él mismo llevaba años residiendo para caer al poco víctimas de una sucia emboscada constituía un excelente argumento para una novela, pero al poco tiempo comprendió que si hacía demasiadas preguntas al respecto, su estancia en la isla se acortaría de forma radical.

Pese a que hubiera muerto hacía ya casi cinco décadas, la negra sombra de Rafael Leónidas Trujillo aún planeaba sobre los dominicanos, en vista de lo cual decidió no meterse en camisa de once varas y limitarse a escuchar lo que el adusto cocinero estuviera dispuesto a contarle muy de cuando en cuando.

A media tarde del tercer día el huracán *Earl* se había convertido en un recuerdo y el mar, todavía sucio y revuelto, se calmaba a ojos vista, por lo que se devolvieron los peces y los mariscos a sus piscinas originales y se colocaron de nuevo sillas, mesas y manteles en las terrazas, disponiéndolo todo para el esperado regreso a la normalidad.

Fue en ese momento cuando el siempre servicial Ramiro llamó con el fin de comunicarle a su viejo amigo Celso Castañeda que el €&$ había abandonado su punto de atraque habitual en las Bahamas rumbo al peñón de la Ballena, un islote al sureste de las islas de Turcos y Caicos, que había sido comprado por una tal Georgia Wallis Spencer hacía casi veinte años.

—Hay quien asegura que está enterrada allí y que por eso el barco de su marido pasa largas temporadas fondeado en una pequeña cala del noroeste —concluyó—. ¿Te envío las coordenadas?

—No es necesario; suelo visitar la zona porque a media milla hacia poniente se encuentra un bajío con pecios muy interesantes, aunque bastante desperdigados. —El buceador hizo una corta pausa antes de añadir—: ¿Recuerdas la cruz de oro y aguamarinas que encontré en Jamaica y que tanto le gusta a tu mujer? Mañana te la mando. —A continuación prestó atención para protestar ruidosamente—: ¡Ni se te ocurra, cabronazo! Te he dicho que es para tu mujer y pienso llamarla para asegurarme de que se la has dado, o sea, que te juegas las bolas. —Tras escuchar de nuevo concluyó—: ¡Bueno! Será en otra ocasión.

Colgó para volverse a la pareja que aguardaba noticias.

—¡Si será putañero el jodido negro! —exclamó—. ¡Pues no pretendía regalarle mi cruz de aguamarinas a una mulatita de Monte Cristi con la que acaba de liarse!

—¡Olvida la dichosa cruz! —suplicó el colombiano—. ¿Qué ha dicho del barco?

—Que si zarpamos a primera hora y le meto caña al *Pez Volador* al anochecer estaremos a la vista de «Moby Dick».

—¡De eso nada, enano! —protestó el escritor—. Tengo una amarga experiencia de lo que llamas «meterle caña» al *Pez Volador*; vuela, en efecto, pero da unos brincos que obligan a devolver la primera papilla.

—Es que a nadie se le ocurre nacer en Medellín y venirse a vivir a un pueblo de pescadores. —El dueño del restaurante se volvió a la iraní con el fin de inquirir—: ¿Tú también te mareas, ojitos de zafiro?

—No lo sé —fue la sincera respuesta—. Que yo recuerde nunca me he embarcado.

—Pues sí que voy a llegar lejos con una novata y un pato mareado. —Se encogió de hombros en un gesto que denotaba resignación, al añadir—: ¡De acuerdo! Si Calamar está sobrio, zarparemos mañana a media tarde y navegaremos sin prisas; al fin y al cabo, no va de un día.

El *Pez Volador* era un barco extraño, en el que una parte del fondo había sido sustituida por un grueso cristal por el que se podía observar la flora y la fauna submarinas, así como una parte trasera que se abatía para facilitar la subida de «recuerdos» de navíos hundidos. No obstante lo que más llamaba la atención de su estrambótica apariencia era su color, un amarillo anaranjado y fosforescente que cuando refulgía bajo el sol caribeño, deslumbraba hasta hacer daño a los ojos.

Las razones que daba su dueño para tan insultante derroche de mal gusto resultaban no obstante harto convincentes:

—Me evita problemas en unas aguas frecuentadas por lanchas de narcotraficantes, cargueros con las bodegas repletas de inmigrantes clandestinos o frágiles balsas de infelices que intentan escapar de Cuba —señalaba con naturalidad—. A esa gente suelen perseguirlas patrulleras, aviones o helicópteros y últimamente los vigilan unos malditos satélites capaces de determinar si te estás rascando los huevos o las liendres, pero que saben muy bien que el barquichuelo que tanto llama la atención es el *Pez Volador*. A cambio de que me dejen trabajar en paz acudo de inmediato allí donde puedo echar una mano cuando alguien se encuentra en peligro. —Su alegato final solía venir acompañado de una ancha sonrisa—: Lo más bonito no suele ser lo más útil y la mejor prueba la tengo en mi propia mujer.

Dejando a un lado su absoluta falta de estética, el navío era rápido, cómodo, estable y sobre todo tan práctico que pese a sus dieciocho metros de eslora el escuálido buceador lo manejaba solo o sin más tripulación que un viejo haitiano que siendo un muchacho había perdido un brazo luchando con un calamar de casi ochenta kilos al que había conseguido capturar sin ayuda, elevar a su diminuta embarcación y llevar a puerto.

Su épica y casi inaudita hazaña le valió el respeto de los pescadores de la región y el apodo por el que se le conocería en el futuro, pero su excesiva afición al ron acabó por convertirlo en un paria.

Aceptó de inmediato la oferta de embarcarse sin

preguntar adónde se dirigían ni por qué, ya que en realidad estaba acostumbrado a que el *Pez Volador* no hiciera otra cosa que vagar de isla en isla y de bajío en bajío a la caza de un fabuloso tesoro que jamás se dignaba hacer acto de presencia.

Cientos de veces habían encontrado un buen rastro pero cientos de veces la ilusión había acabado en fiasco, porque estaba claro que por aquellas latitudes los marinos españoles habían perdido muchos barcos pero muy poco oro.

Asdrúbal Valladares le debía un gran favor, ya que años atrás, cuando el negro le preguntó por qué andaba con bastón y le respondió que por culpa de un violento ataque de gota, le recomendó que dejara de comer calamares.

—¿Y eso qué tiene que ver? —se sorprendió el escritor—. Por lo que sé la gota se produce por comer caza o carne muy cruda.

—Y por los calamares —le replicó el haitiano seguro de lo que decía—. Los peces regulan la profundidad a que se encuentran utilizando una vejiga natatoria que llenan o vacían según les convenga, pero me he dedicado toda la vida a estudiar los calamares y he aprendido que mantienen la profundidad a base de equilibrar la densidad del agua por medio del amonio que producen. De hecho son una auténtica fábrica de ácido úrico que te va directamente al dedo gordo del pie y te las hace pasar putas.

Siguiendo su consejo el colombiano dejó un calamar al aire libre, advirtió que en cuanto comenzaba a pudrirse apestaba a amoniaco y a partir de ese momento dejó de comerlos con tanta asiduidad, con lo que cesaron las molestias.

Tal como el dueño del barco había decidido, zarparon al día siguiente y a la hora convenida rumbo al nordeste, y pese a que el mar se había quedado en absoluta calma y se habían atiborrado de pastillas contra el mareo, tanto el escritor como Salima Alzaidieri decidieron irse a la cama sin cenar en un desesperado esfuerzo por lograr que la travesía se les hiciera lo más corta posible.

El mar, al igual que el fuego, es muy hermoso cuando se contempla desde una cierta distancia, pero para quien se encuentra rodeado de mar, al igual que para quien se encuentra rodeado de fuego, ya no lo es tanto.

Al amanecer avistaron Cayo Sal navegando por aguas tan someras y transparentes que a través del cristal del fondo se podía distinguir a los pulpos que corrían a ocultarse en sus cuevas.

Avanzaban muy despacio por temor a chocar con una roca; no en vano los primeros navegantes que exploraron la zona habían denominado a aquellas islas, y sobre todo a las de un poco más al norte, «las de la baja mar», lo que con el paso del tiempo, y a causa de que la mayoría de los pilotos eran andaluces, había degenerado en que acabaran llamándose «archipiélago de las baha-mar» o Bahamas.

A ello se añadía que se encontraban a comienzos de septiembre, la época del año en que a causa de la alineación de los planetas se producían las llamadas «mareas vivas», durante las que el océano en cuyos límites se encontraban subía o se retiraba de forma exagerada.

No obstante, Celso Castañeda conocía aquellas aguas como la palma de su mano, por lo que en un momento dado desvió ligeramente el rumbo hacia el este.

—Iremos más seguros navegando por mar abierto aunque tengamos que dar un rodeo y entrar a la isla por levante —afirmó convencido—. Con estas mareas tan bajas la costa de poniente se convierte en una jodida trampa.

23

El escenario seguía siendo exactamente el mismo en que muriera su esposa excepto por el hecho de que había hecho instalar en la carpa un ordenador que le mantenía en contacto con el mundo exterior.

Había impartido la orden de que le dejaran solo y únicamente un par de marineros acudieran cada mañana a traerle lo poco que necesitaba, dedicando la mayor parte del tiempo a visitar la peculiar tumba de Georgia, leer, nadar, pasear por la playa y sobre todo escribir.

Plasmar sobre el papel sus recuerdos le producía una curiosa mezcla de amargura y felicidad debido a que en ciertos momentos evocaba los maravillosos años que le había regalado una criatura irrepetible y en otros acudían a su memoria los tiempos de insoportable dolor o la larga lista de sus incontables crímenes.

«Crimen» era sin duda una palabra dura y desagradable, pero Eugene Sanick no era de los que se engañaban a sí mismos, consciente de que para conseguir tanto como había conseguido se hacía necesario carecer de escrúpulos, de la misma forma que para vencer en una sangrienta batalla no se podía dudar a la hora de cortar cabezas.

Las guerras armadas estallaban de tanto en tanto y

transcurrían décadas antes de que algunos países se involucraran en alguna, pero las solapadas guerras económicas se libraban día tras día, semana tras semana, año tras año y siglo tras siglo, sin que jamás se decretara un alto el fuego o se estableciera una corta tregua con el fin de curar a los heridos o enterrar a los muertos.

Las balas hacían correr la sangre, pero las órdenes de compra y venta de acciones hacían correr dinero, y en su carrera ese dinero se llevaba por delante más vidas que las balas.

Las naciones que perdían guerras lograban resurgir, pero las que perdían mercados se hundían en la crisis y la desesperanza.

Y Eugene Sanick había salido airoso de todas las contiendas porque era de los que no hubieran dudado a la hora de arrojar una bomba atómica sobre una ciudad inerme si con ello hubiera obtenido apreciables beneficios.

Se le podía considerar por tanto un «criminal de guerra económica».

La lista de aquellos a quienes eliminara físicamente llenaba una página y aún le faltaba espacio; a aquellos a los que había destruido sin necesidad de arrebatarles la vida ni siquiera alcanzaba a enumerarlos.

No obstante, el bien que había hecho apenas ocupaba tres líneas.

Si hubiera abrigado la menor sospecha de que le obligarían a presentar ante un tribunal divino los libros de su haber y su debe, le sobrarían razones para sentirse inquieto, pero gracias a que nunca esperó que en el más allá le reclamaran tal estado de cuentas rara vez se sometió a ningún tipo de ataduras.

No creer en la vida eterna o en un ser supremo proporcionaba grandes ventajas; el tema de la conciencia era otra cosa.

Eugene Sanick había comprobado que casi todas las conciencias tenían un precio, y a la suya la sobornó cuando aún no había cumplido los treinta años a base de un lujoso apartamento, un coche deportivo y un gran número de muchachas hermosas.

Tan sólo se agitó levemente entre sus sábanas de seda el día en que participó en sus primeros asesinatos, pero ni tan siquiera alcanzó a despertarse, tal vez debido a que ocurrieron en uno de los lugares más remotos y salvajes del planeta.

En qué rincón del mundo le abandonó definitivamente nunca logró saberlo, pero lo cierto era que no se encontraba en la isla en aquellos momentos.

Su única compañía eran lagartos, pelícanos, gaviotas y un sinfín de diminutas aves grisáceas que correteaban por la orilla picoteando la arena.

Sin más compañía que libros y recuerdos continuó hasta el momento en que al alzar los ojos de lo que estaba escribiendo descubrió que una pareja de desconocidos se aproximaba sin que acertara a averiguar de dónde habían salido.

Abrió un cajón de la mesa, extrajo el arma que siempre tenía al alcance de la mano y la esgrimió amenazante.

—¡Esta isla es propiedad privada! —les advirtió cuando aún se encontraban a unos veinte metros de distancia—. ¡No pueden poner un pie en ella sin permiso!

—¿El señor Sanick? —se limitó a inquirir el hombre sin detenerse—. ¿Eugene Sanick? —Ante el leve gesto de asentimiento elevó los brazos en clara demostración de que venía en son de paz al tiempo que añadía—: Tan sólo queremos hacerle unas preguntas.

—¿Qué clase de preguntas? —quiso saber.

—¿Conoce a Gordon Sullivan?

—La respuesta dependerá de quién haga esa pregunta.

Los intrusos se habían detenido a la entrada de la carpa y fue la mujer quien replicó agriamente:

—Me llamo Salima Alzaidieri y soy yo quien la hace.

—¡Vaya por Dios! —no pudo por menos que exclamar «€&$» volviendo a guardar el arma en el cajón—. Me lo imaginé desde que la vi. ¿Qué quiere saber sobre Sullivan?

—Qué ha sido de él —fue la seca respuesta.

—La última vez que le vi regresaba a su escondite brasileño y tengo la impresión de que no se moverá de allí en mucho tiempo. —Hizo un gesto hacia la nevera que se encontraba a sus espaldas al señalar—: Será mejor que pasen, tomen algo fresco y descansen; este sol raja las piedras.

—¿Seguro que está vivo? —insistió ella.

—Todo lo vivo que puede estar semejante sabandija. —La observó mientras aceptaba el refresco que el colombiano le alargaba, antes de añadir—: ¿Realmente ha sido la amante de ese imbécil? ¡Perdón! Cada cual hace con su cuerpo lo que le viene en gana. ¿Y este señor quién es y qué pito toca en todo esto? —inquirió con brusquedad.

—Me llamo Asdrúbal Valladares y estoy escribiendo un libro sobre la Deepwater Horizon.

Eugene Sanick arrugó el ceño en clara demostración de que intentaba recordar y por último preguntó:

—¿Asdrúbal Valladares, el novelista? —Ante el gesto de asentimiento añadió—: Mi mujer era muy aficionada a sus libros y me gustó mucho aquella serie sobre bandidos de la Amazonia. ¿Cómo se llamaba?

—*Bandeirante*. Y no eran de la Amazonia sino del *sertão*.

—¡Si usted lo dice! —Tras una corta pausa añadió sin concederle demasiada importancia—: Tenía entendido que había muerto.

—Que lleve años sin publicar no significa que haya muerto.

—Si se trata de un escritor, supongo que viene a ser lo mismo... —Se interrumpió porque acababan de hacer su aparición Dan Kosinsky, el capitán del yate y tres de sus tripulantes—. ¡Tranquilos! —señaló—. Todo está bajo control.

—Lo siento, señor, pero no entiendo cómo pudieron desembarcar sin que el radar los detectara —se disculpó el capitán.

—¡No se preocupe, Harry! En realidad me alegra que lo hayan conseguido. —Hizo un gesto con la mano hacia los tripulantes, en clara indicación de que debían marcharse—. Esperen en la lancha —pidió.

Aguardó a que se hubieran alejado, indicó con la cabeza a su socio y al capitán que se acomodaran en el sofá y girando un poco su sillón de forma que pudiera verlos de frente aclaró:

—La señorita es amiga de Gordon Sullivan y el señor es Asdrúbal Valladares; seguramente han leído algún libro suyo. —Ante la doble negativa masculló—: ¡Lástima! Algunos son muy entretenidos. ¿Cuándo viste a Sullivan por última vez, Danny, y hacia dónde se dirigía?

—Creo que fue el día 20 y se dirigía a Río de Janeiro vía Caracas.

El propietario de la pequeña isla se distrajo observando cómo el surtidor de agua que surgía de la caverna había hecho su aparición con la subida de la marea, pero pronto reaccionó volviéndose a la iraní.

—Ya ve que su «novio» se encuentra bien, aunque mi consejo, si es que le sirve de algo, es que le olvide. Dime, Danny, ¿qué es lo que pretendía cuando vino a verme?

—Hacerte chantaje —fue la rápida y segura respuesta.

—¡Exactamente! Pretendía que le diera veinte millones de dólares a cambio de no contarle a la policía que le había pagado para que pusiera una supuesta bomba en la Deepwater Horizon.

—¡No le creo! —protestó una a todas luces indignada Salima Alzaidieri—. Gordon no es de ese tipo de hombres.

—Su querido Gordon me había sacado dos millones de dólares para simular un atentado, pero con eso no le bastaba porque no es más que un sucio buitre carroñero. —Ensayó una leve sonrisa al añadir—: No obstante me veo obligado a reconocer que usted ha sido la más perjudicada en este turbio asunto y por lo tanto estoy dispuesto a compensarla si me promete, o mejor dicho, me jura, que no volverá a ver a ese cerdo. —Sonrió divertido—. Y tenga muy presente que los musulmanes no deben tener trato con cerdos. ¿Qué me responde?

La interrogada apenas dudó antes de encogerse de hombros en lo que pretendía ser un gesto de cansancio o impotencia.

—¿Y qué quiere que le responda? No tengo dónde

caerme muerta y si regreso a los Estados Unidos, corro el riesgo de que me detengan.

—¿En ese caso me jura no volver a ver a Gordon Sullivan?

La iraní asintió de mala gana.

—¡Qué remedio! ¡Se lo juro!

Cabría asegurar que el multimillonario estaba disfrutando, ya que, mientras comenzaba a rellenar el cheque que había extraído del cajón de la mesa, masculló:

—En ese caso le voy a dar... —dudó unos instantes, consciente de la tensión que tal pausa generaba en la iraní, agitó de un lado a otro la cabeza, lanzó una corta carcajada y acabó por exclamar—: ¡Un millón de dólares! Ahora entiendo por qué a Georgia le divertía tanto derrochar el dinero, y es que ya me sirve de poco, porque en esta minúscula isla la vida resulta muy barata y los pájaros cantan gratis.

Le alargó el documento a quien se había quedado con la boca abierta dudando entre admitir que la suerte se le había puesto de cara o rechazar el cheque temiendo que le estuvieran gastando una broma de pésimo gusto.

—¡Cójalo! —la animó—. Le garantizo que tiene fondos.

—¡Pero es que es demasiado! —protestó ella.

—Lo justo nunca es demasiado, querida niña. Y lo justo es que, aunque sea por una sola vez en mi vida, yo haga lo justo.

—¡Mil gracias! O mejor sería decir un millón de gracias.

—No hay de qué; me ha alegrado lo que ha empezado siendo uno de los peores días de mi vida y eso tiene un precio.

De nuevo guardó silencio contemplando el chorro de agua como si le hipnotizara mientras el resto de los presentes permanecían en silencio, tal vez presintiendo que algo fuera de lo normal estaba a punto de ocurrir.

Cuando al cabo de un rato volvió en sí, observó con atención al colombiano y al poco inquirió:

—Y a usted, ¿cómo le va con ese libro?

—¡Mal! —fue la sincera respuesta—. En realidad no he escrito nada que valga la pena. Y lo único que podría salvarlo es demostrar su implicación en el incendio de la plataforma o aclarar por qué demonios gasta tanto en meteoritos.

—O sea, ¿que sabe lo de los meteoritos? —se sorprendió y al parecer muy gratamente el magnate—. ¡Curioso! ¿Tiene alguna teoría al respecto?

—Que de alguna forma están relacionados con el asteroide que provocó el cráter en Yucatán, pero no me pregunte ni cómo ni por qué.

—¡Muy interesante! —pareció animarse de nuevo Eugene Sanick—. ¡Muy, pero que muy interesante! Ha llegado usted a una magnífica conclusión. ¿En qué se ha basado?

—En que compra piedras que contienen iridio y siempre en el Golfo o el Caribe, pero no consigo relacionarlo con la Deepwater Horizon.

—Es que no tiene nada que ver, querido amigo. ¡Absolutamente nada!

—En ese caso, ¿de qué carajo estamos hablando? Y perdone la expresión, pero es que este asunto me saca de quicio.

—Estamos hablando de que tal vez usted tenga un buen argumento y yo consiga a través de un libro lo que no he conseguido hasta ahora —replicó—. Estoy pagando fortunas a una partida de inútiles que no han sido capaces de avanzar un metro en la dirección correcta, por lo que creo que ha llegado el momento de tomar un atajo.

—Me gustaría entenderle —no pudo por menos que admitir el otro.

«€&$» comenzó a extender un nuevo talón al tiempo que señalaba una gruesa libreta azul que se encontraba sobre la mesa.

—Si se compromete a escribir un libro utilizando estos datos, que admito que no están muy bien redactados puesto que escribir nunca ha sido mi fuerte, le daré un millón de dólares de adelanto. ¿Le interesa?

—¿Un millón de adelanto? —repitió el colombiano—. ¡Naturalmente que me interesa!

—¡Pues aquí los tiene! La libreta y el cheque, pero le advierto que si no se ha publicado antes de un año y en la forma en que yo indique, mis abogados le sacarán la piel a tiras.

—¿A qué se refiere con eso de «en la forma en que yo indique»?

—A que será el primer libro que se imprimirá en líneas verticales.

—¿En líneas verticales? Perdone, pero no acabo de entenderle.

—Es muy sencillo; pocos días antes de morir mi esposa estaba descansando en ese mismo sofá mientras yo leía en esta misma butaca cuando de pronto me dijo: «Tienes el libro al revés», y al preguntarle a qué se refería, puesto que no era cierto, me respondió: «Tal como yo lo veo desde aquí, inclinada, creo que te resultaría mucho más cómodo si las líneas fueran verticales...»

Se interrumpió una vez más y en esta ocasión resultaba evidente que lo hacía porque estaba evocando la escena y le venían a la mente las últimas frases coherentes que había pronunciado Georgia.

El resto de los presentes continuaron expectantes hasta que añadió:

—En aquellos momentos me encontraba tan desconcertado y abrumado por el dolor ante la inminencia de su fallecimiento que no le presté atención, pero durante los días que he pasado aquí, sin hacer otra cosa que leer o recordar, me vino a la mente lo que había dicho y le encontré un sentido. Desde que Gutenberg imprimiera su primera Biblia hace más de quinientos años, nadie, excepto Georgia, había reparado en que por el simple hecho de girar un libro noventa grados resulta más cómodo a la hora de leerlo y más barato a la hora de publicarlo. Por eso, y en honor a ella, quiero que ese libro sea el primero que se edite con las líneas verticales. ¿Cómo piensa titularlo?

—*El mar en llamas.*

—De acuerdo: *El mar en llamas.* Usted se encargará de escribirlo y Danny de que se edite según mis instrucciones. —Se volvió ahora al capitán del yate—. En lo que a usted se refiere, Harry, he constituido una sociedad a la que he aportado el barco y tres millones de dólares para los primeros gastos. Sus únicos socios serán los tripulantes del €&$ en proporciones que he calculado teniendo en cuenta su categoría y años de servicio.

—¡Pero, señor...!

—¡Tan sólo es una muestra de afecto y agradecimiento, puesto que han constituido mi única familia durante estos últimos años y me consta que todos querían a Georgia y Georgia les quería. Confío en que se comporten como lo han hecho hasta ahora y consigan

244

alquilárselo a clientes tan encantadoramente disparata-
dos como su primitiva dueña.

—Desearía que se lo comunicara usted mismo a la
tripulación, señor —fue la respuesta de alguien a quien
se advertía sinceramente conmovido—. Les haría muy
felices.

—Tendrá que ser en otro momento, mi fiel amigo;
en otro momento.

Se diría que de improviso le había caído una losa encima, puesto que se quedó inmóvil excepto por un leve
temblor de su labio inferior, respiró profundamente, se
sirvió un vaso de su inseparable jarra de limonada, re-
sopló con fuerza e inclinó la cabeza sobre el pecho
como si no deseara mirar a nadie.

—Y ahora ha llegado el momento de las malas noticias —musitó—. Altos mandos de la policía ecuatoriana se han rebelado en lo que ha constituido un fallido
intento de golpe de Estado... —Movió la cabeza de un
lado a otro como si le costara trabajo admitir que tales
cosas pudieran ocurrir antes de continuar cansinamen-
te—: Al parecer se ha iniciado una minuciosa investigación sobre la vida y milagros de algunos de esos altos
mandos policiales, por lo que están saliendo a la luz
viejos temas que creía olvidados, pero que pueden
acarrearme graves problemas. —Golpeó con afecto el
antebrazo de su socio como si pretendiera tranquilizar-
le al añadir—: No te preocupes, Danny, sólo vendrán a
por mí y no les culpo.

—Me inquietas —le hizo notar el aludido.

—Inquietarte ha sido siempre una de mis primeras
obligaciones, pero en esta ocasión los actos que se me
imputarán, y que mal que me pese son ciertos, se re-
montan a tiempos tan lejanos que si las cosas se hacen

como es debido no afectarán al futuro de mis empresas o la fundación de Georgia, y eso es lo que en verdad importa.

—Disponemos de un ejército de abogados —le hizo notar su socio—. Y el actual Gobierno ecuatoriano no goza de las simpatías del nuestro, por lo que estamos en condiciones de frenar cualquier tipo de actuación.

—En este caso no se trata de cerrar un pozo que está dejando escapar crudo, querido amigo; lo que mana es sangre, tal como ocurre con demasiada frecuencia en este maldito negocio. Son tantas las iniquidades y matanzas que solemos cometer durante la búsqueda de ese asqueroso «oro negro» que a veces tengo la impresión de que los automóviles son vampiros que se alimentan de seres humanos y que cada vez que llenamos el depósito lo estamos haciendo con vidas inocentes.

Por enésima vez clavó la vista en el promontorio bajo el que se encontraba la tumba de su esposa y resultaba evidente que dudaba a la hora de seguir hablando. El capitán del €&$ pareció entenderlo de ese modo y señaló:

—No tiene por qué darnos ningún tipo de explicaciones, señor.

—Lo sé, pero como por desgracia es algo que no podrá ocultarse indefinidamente, más vale que lo conozcan de mis propios labios. Hace poco más de treinta años, la empresa para la que trabajaba me envió a la Amazonia ecuatoriana con el fin de que lograra convencer a un grupo de lugareños que impedían que se explotaran los yacimientos que se encontraban en sus tierras alegando que se destruiría uno de los entornos naturales más delicados y exclusivos del mundo. —Hizo una nueva pausa, lanzó un nuevo resoplido y se decidió a continuar—: Lo intenté por todos los medios, pero se mostraron irreductibles hasta que vino a verme el jefe de la policía local ofreciéndome «resolver el problema» a cambio de cincuenta mil dólares. Acepté y dos semanas más tarde cuatro de los lugareños, entre los que se encontraba una mujer, aparecieron asesinados en la selva. Los habían acribillado a lanzazos y el jefe de policía aseguró que se trataba de lanzas aucas, una tribu que no permitía que nadie penetrara en su territorio, que se extiende a todo lo largo de la margen derecha del río Napo, pero que en más de un siglo jamás lo habían atravesado. De inmediato se organizó una «cacería del salvaje» durante la que se les cortó la cabeza a cinco aucas, se «restableció la paz en el territorio» y meses después pude iniciar las perforaciones.

Guardó silencio esperando una reacción, pero como no la hubo se puso lentamente en pie y antes de alejarse añadió:

—Que comenzara a hacerme rico costó nueve vidas y aquel desalmado, no mucho más que yo, la verdad sea dicha, es el general que ahora ha decidido destapar aquella vieja historia con el fin de conseguir una rebaja en su condena, ya que de ese modo su Gobierno tendrá un nuevo argumento con que presionar a las petroleras.

Se alejó muy despacio, como si cargara una pesada roca a sus espaldas, y cuando llegó a la pequeña cima, permaneció muy quieto contemplando las olas que llegaban desde muy lejos, tal vez desde las costas africanas, chocaban contra el acantilado, se introducían en la cueva con el fin de visitar la tumba de su amada, se alzaban luego al cielo como el penacho de un coracero y se retiraban con estrépito de cantos rodados dejando un vacío que de inmediato llenaba una nueva ola.

Esas olas constituían un incansable ejército de uniformes azules con ribetes de blanca espuma lanzándose una y otra vez al ataque de una altiva fortaleza en la que ya habían conseguido abrir brecha, convencidas de que con el paso de los siglos, muchos siglos, acabarían por arrasarla por completo.

Se trataba del más poderoso e insistente ariete que se hubiera inventado y que convertía la caverna en una gigantesca trituradora.

Eugene Sanick se aproximó sin prisas al hueco que se abría en el suelo, esperó a que el agua se elevase ante él empapándole al caer como una suave lluvia y por último dio un paso adelante y desapareció.

Dentro de la cueva la siguiente ola le estampó el cráneo contra el techo y el chorro de agua surgió ahora de un leve color rojizo.

IMPRESO EN BLACK PRINT CPI IBÉRICA, S. L.
c/ TORREBOVERA, s/n (ESQUINA c/ SEVILLA), NAVE 1
08740 SANT ANDREU DE LA BARCA (BARCELONA)